近代の終わり

秩序なき世界の現実

ブライアン・レヴィン 他 著
Brian Levin et al.
大野和基 インタビュー・編
Ohno Kazumoto

PHP新書

プロローグ——人類の未来は明るいか

本書に登場する対話は、ポプリ（混ぜ合わせ）的な対話に思えるかもしれないが、続けての演奏であるメドレーといったほうが正しいだろう。これまでの凝り固まった先入観や狭い視野を広げるのに格好の「材料」を集めたつもりである。

たとえば、世界で最も誤解されている国であるアメリカをはじめとして、日々変化する国際情勢やグローバリゼーションのあり方、過去の歴史または未来からみた現在、あるいは障害などについては、誰もが一度は考えてみたことがあるテーマだろう。ただ、ほとんどの場合、ニュースを追うのに精一杯で、それらのテーマについて日常的に深く考える習慣をもつ人は少ないのではないか。

往々にして一人の人間がすでにもっている先入観から、誤った思考に陥ってしまうこともある。それを少しでも矯正するには、やはり専門家との対話が不可欠である。その点で、本書に登場する識者らは我々に有用な視点を提供してくれるだろう。

いまこそ現実を直視せよ

ここで本書の内容を簡潔に説明しよう。

ブライアン・レヴィン氏は現在カリフォルニア大学の憎悪・過激主義研究センター所長を務めているが、アメリカのメディアだけでなく、ヘイトクライム（憎悪、偏見を動機とする犯罪）の専門家として、世界中のメディアに引っ張りだこである。とくにパンデミック（世界的大流行）に突入後、アジア人へのヘイトクライムが急増しており、メディアへの登場頻度が増している。

私自身、アメリカに長年住んでいたが、日系アメリカ人のメイジー・ヒロノ氏（アメリカ上院議員）が「アジア人はアメリカ社会ではいつまでたってもよそ者である」といっていたことに賛同する。レヴィン氏は必ずしもそうではないと述べていたが、それは私が日本人であることから、本音をいわなかっただけかもしれない。アメリカ人は日本人と同じように、本音と建前（たてまえ）をうまく使い分けることを私は経験上、よく知っている。もちろん、ヘイトクライムの増加はアメリカだけの問題ではない。ある意味、世界的な現象である。ソーシャルメディアは人種に対する偏見を拡散している面がある。ヘイトクライムの原因と対策を考えるとき、氏の知見は大いに役立つ。

作家のカート・アンダーセン氏は、ハーバード大学の学生のころ、『ハーバード・ランプーン』誌の編集に携(たずさ)わっていたというが、じつは私はコーネル大学の在学中、本誌を定期購読していた。アメリカ人のユーモアの頂点に位置する、読者を笑わせるためのギャッグ雑誌だ。そのアンダーセン氏が出した『ファンタジーランド』は全米で話題のベストセラーになった。自国アメリカがなぜ例外的に「異常」になったのかを知るべく、本書を読んだアメリカ人は、そのあまりにも正しい内容に魅了されたという。氏による俯瞰(ふかん)的な説明は、アメリカという国を誤解しないためにも欠かせないだろう。

ジョージ・フリードマン氏はハンガリー出身の国際政治学者で、シンクタンクの「ジオポリティカル・フューチャーズ」の会長を務め、国際情勢に関するインテリジェンスを定期的に発行している。地政学の専門家らしく、日本に対しては海上交通路を確保できる軍事力をもつことを提言する。氏からすれば、日本が現実を直視していないように映るらしい。
　また、氏は自身が専門家でありながら、専門家の限界を指摘しているところも興味深い。医療界の専門家は、コロナ禍に対して「ゼロリスク」を唱えたが、経済的・社会的な影響について、さして考えているようにはみえなかったというのだ。パンデミックによって、世界各国で階級的な格差がますます広がっているが、政府は与えられている権限を活かして、それらの解決に乗り出していないと述べる。

　イワン・クラステフ氏はブルガリア出身の政治学者で、専門はヨーロッパと民主主義である。ところで、アメリカは世界で最も傲慢な国だと思うのは私だけであろうか。その傲慢さの理由を知るためにも、氏の視点は貴重である。バイデン大統領の支持率はかなり下落しているが、その要因の一つがアメリカ軍のアフガニスタンからの撤退である。そのやり方、タイミングがあまりにも悪かった。バイデン大統領は人の意見を聞くふりをするのはうまいが、もともともっていた考えを改めることは少ないといわれる。それが彼の生来の性格なのかどうかはわからないが、クラステフ氏の説明を聞くと、大国としてのアメリカの「没落」といまの世界情勢が手にとるようにわかる。

アダム・トゥーズ氏は、アメリカのコロンビア大学で教鞭を執(と)る歴史学の教授であるが、あくまでも専門は経済学であり、経済学から大局的に事象を分析した歴史の記述に定評がある。イギリス出身ということもあり、フリードマン氏やクラステフ氏同様、アメリカを一歩離れて、世界を客観的に分析することができる。とくに、米欧の分断に関する視点は説得力がある。

イェール大学で教授を務めるヴァレリー・ハンセン氏の専門は、トゥーズ氏と同じ歴史学であるが、彼女はもともと中国史が専門で、そこから世界史全般に徐々に分野を広げた。「新証拠」を発見して、これまでの定説を覆(くつがえ)すことこそ、歴史学の真髄(しんずい)だと彼女は述べる。「歴史の定説に惑わされるな」といわれているような気持ちになるが、新しい仮説を立てることから研究を始めるのは、科学者とまったく同じ分析の仕方である。

ハンセン氏がグローバリゼーションについて西暦一〇〇〇年をその誕生年にしたのも、まさにその科学者の手法を用いてのことである。彼女の説はあまりに大胆なため、それを否定する人もいるが、彼女が発見した「証拠」の数々をみれば、納得がいくのではないか。

ジョージ・エストライク氏は、オレゴン州立大学でクリエイティブ・ライティングを教えているが、ダウン症の娘をもったことが嚆矢となって、障害について深く考えるようになったという。その熟考から、すでに二冊の本が生まれているが、日本でもときどきメディアで報道される出生前診断や遺伝子編集についても一家言をもつ。どれも、はなはだ考えさせられる問題提起ばかりである。普段、障害についてあまり考えたことがない人も、エストライク氏の識見を聞くと、あらためてそれに向き合う心境になるのではないか。

エディンバラ大学で英文学と環境学の教授をしているデイビッド・ファリアー氏は、現在を遠い未来からみる過去として捉えた『FOOTPRINTS 未来から見た私たちの痕跡』を書いた。一億年単位のスケールである「ディープタイム」の視点から、未来から現在をみたものである。数万年後、道路は残っていないとか、放射性廃棄物の保管所の目印に何を使うか、ということを聞くと、とても人間の脳では想像が及ばないことだと思える。

いずれにせよ、氏の視点は本当に斬新なものばかりであり、私はいつしか日常的にふと目にするものまで、これは一万年後には残っているのか、あるいは消えているのか、などということを思うようになった。

この八人の識者との対話は、私の思考の範囲を大幅に拡大してくれた。正直にいって、これほどまでに既存の枠にはまらない視座を提供されると、大地震が起きたようなショックを受けた。従来、自明のものと信じられてきた政治体制、あるいは戦争観、そして地球環境に対する認識までもが一変するような感覚を味わったのである。

そうした体験はある種の快感でもあったが、我々はいま「近代の終わり」という歴史的結節点を迎えているのではないか、という思いにとらわれた。近代を一貫して特徴づけてきたグローバリゼーション、そしてその元になっていた理性、認識、秩序といったものへの信頼が大きく揺らいでいる。これこそ、現在の我々が感じる漠然とした不安の正体なのかもしれない。

その先にある人類の未来は明るいか、あるいは暗いのか――。読者のみなさんが識者の卓見に賛同する、しないは別として、きっと新しい視点をこの対話から学べると思う。その学びを共有することができたら、望外の喜びである。

大野和基

近代の終わり　秩序なき世界の現実　目次

Chapter 1

ブライアン・レヴィン

アジア人への暴力と憎悪の民主化

Kurt Andersen

Chapter 2

カート・アンダーセン
「ファンタジーランド」と化すアメリカ

George Friedman

Chapter 3

ジョージ・フリードマン
北朝鮮の核攻撃に弱い国はどこか

Chapter 4

イワン・クラステフ
自由主義的覇権は幻想だった

Adam Tooze

Chapter 5

アダム・トゥーズ
パンデミックが加速させた米欧の分断

Valerie Hansen

Chapter 6

ヴァレリー・ハンセン
外国貿易反対派の抗議の歴史

George Estreich

Chapter 7

ジョージ・エストライク
健常者優位主義を乗り越えられるか

David Farrier

Chapter 8
デイビッド・ファリアー
地球の大都市が化石になる日

英文校正・協力：櫛田理絵

Chapter 1

アジア人への暴力と憎悪の民主化

偏見が憎しみや犯罪に結びつくプロセスと講じるべき対策とは

コロナ禍に突入してから、アメリカでアジア人、とくに女性に対するヘイトクラムが増加したニュースが何度も流れた。ほとんどが防犯カメラの映像付きだ。マンハッタン市内の地下鉄で、日本人男性が襲われて全治三週間の怪我を負ったのは二〇二一年九月のことだが、ただ一方的に殴られたようで恐怖を覚える。

私もアメリカに長く住んでいたが、レヴィン氏が指摘するように、アジア人を攻撃する裏にはステレオタイプ（先入観、思い込み）が存在していることは痛感していた。そのステレオタイプがソーシャルメディアによって拡散される。こうした犯罪を完全になくすことはできない。法律だけでは抑止力に繋がらないが、減らすための処方箋はある、とレヴィン氏はいう。

Brian Levin

ブライアン・レヴィン

カリフォルニア州立大学憎悪・過激主義
研究センター所長

スタンフォード法科大学院卒業。1980年代はニューヨーク市警に務めた。その後、南部貧困法センター法務担当、民族・人種暴力研究センター法務部長、ストックトン大学教授などを経て、現職。ヘイトクライムの専門家として、多数のメディアで発信している。

アジア系女性への暴行が広がっている

――まず、あなたが所長を務めるカリフォルニア州立大学憎悪・過激主義研究センターの研究内容について教えてください。

レヴィン　このセンターの業務に携わるようになって三十年以上になりますが、研究以外にも、さまざまな業務を行なっています。法律の面では、たとえば米最高裁に提出する弁論趣意書等の書類の作成です。もちろん、全米でヘイトクライムがどのように起きているかを示すデータの収集や、暴力の過激さなど、犯罪の性質に関するリサーチもしています。異なるコミュニティで起きるヘイトクライムの波も研究していますが、いまアメリカで広がっているのはアジア系に対する暴力の波です。

――パンデミックの最中、そもそもアジア系に対するヘイトクライムが増加しているのは本当でしょうか。

レヴィン　そうですね。我々の仲間であるStop AAPI Hateのデータによれば、ヘイト・インシデント（事案）の対象はアジア系女性に偏っているようです。Stop AAPI Hateは、インターネットポータルを通して被害者の調査をしています。

一方で、我々は警察の調書を利用しています。実際にヘイトクライムを経験して警察に通報した人からの情報です。我々は犯罪をリサーチの対象にしていますが、Stop AAPI Hateでは犯罪に限らず、職場での差別やハラスメントを含むすべてのインシデントを対象にしています。

――スタンフォード大学のジェニファー・エバーハート教授も、著書"Biased"（邦訳『無意識のバイアス』明石書店）のなかで「アジア人の女性たちは強盗犯にとって狙いやすい標的だった。中年で、力が弱く、英語に不慣れで、カバンを強奪していく黒人の若者を特定できない（中略）カテゴリーとして、彼女たちは理想的な犯罪被害者となっていた」と述べています。

レヴィン　そのとおりですが、いま我々が目撃しているのは、強盗ではなく暴行です。何の前触れもなく、突然暴行が始まります。

先ほどのStop AAPI Hateのデータによると、最近のヘイトクライムはアジア系女性を脅したり、ハラスメントしたりすることに傾いているようです。被害者は突然の出来事で多くの場合は抵抗できないわけですから、襲う側が圧倒的に有利だといえます。

相手の弱さを利用するという点では、高齢の男性も対象になります。こうした攻撃をする裏には、アジア人としてひとくくりにされるある種のステレオタイプが存在しています。アジア人は、ウイルスを故意に拡散させ、多くの人びとを死に至らしめたとして、その攻撃を正当化するのです。

中国が共産主義国であることも人びとが脅威を感じる理由になっている可能性があります。理由の不合理さゆえに、暴力のレベルも偏見のタイプもさまざまなのです。

——ヘイトクライム対策法案の発議を行なった、日系アメリカ人のメイジー・ヒロノ氏（アメリカ上院議員）が日本のテレビ番組で、アメリカ社会でアジア人というのは、いつまでたってもよそ者だと述べています。これについてどう思われますか。

レヴィン　少なくとも、民主主義を愛するアメリカ人は、そうは思わないでしょう。太平洋戦争中の強制収容の違法性を争ったコレマツ裁判（一九四四年十二月、アメリカ政府による強制移住命令に従わず、逮捕・起訴された日系二世フレッド・コレマツに対し、連邦最高裁判所が有罪を言い渡した裁判）でも、のちに判決が誤りだったことを認めています。

アメリカの民主主義を考えるうえで忘れてはならないのは、この国にはネイティブアメリカンや、あとからアメリカに渡り、または連れてこられた人たちに、ひどいことをしてきた過去があるということです。

それでも、オバマ元大統領がキング牧師の言葉を引用してこういっています。「道徳の宇宙にかかる弧は長い、だがその弧は正義がある場所に向かっている」。実際、このところアジア系の人びとに対する支援の輪が急速に広がっています。

アメリカ人は、道徳的平等にたどりつくには、人種や出自、信条や志向にとらわれない、平等と平等な機会が必要だという信条をもっています。問題は、高邁（こうまい）な抱負に現実が追いついていないことで、やるべきことはまだまだ山積みです。

そんななか、アジア系の人びとは、民主主義というてこをうまく使って、人びとの心を揺り動かしています。アジア系の人びとを貶め、攻撃することは、彼らが傷つくだけでなく、社会そのものの変容を招き、著しく不平等な社会をつくることになるのです。

アメリカには多種多様なアジア系のコミュニティがありますが、こうしたコミュニティが歴史から共通して学んだことがあります。それは、暴力が高まれば、自分たちが結束するのはもちろんですが、外部にも彼らを守ろうとする勢力が出てくるということです。「憎悪・過激主義研究センター」もその一つです。

センターでは全米で連携して暴力に立ち向かっていますが、こうした暴力への対処は、懲罰的なものにとどめるのではなく、可能であれば、修復的、教育的なものであるべきです。

アジア系以外への人種犯罪も増加

――昨今のアジア系に対するヘイトクライムの増加には、ほかにどのような特徴がみられますか。

レヴィン　数自体がかなりの勢いで増加しています。二〇二〇年のアジア系に対するヘイトクライムをみると、二〇一九年と比べて一四六％増えています（約二・五倍）。ニューヨーク市でいえば、二〇二〇年三月の件数は、ある年の一年分を超えています。この一年のアジア系に対するヘイトクライムはここ十年で最多といえるでしょう。

警察に通報されたものだけでも、かなりの数にのぼりますが、実際はもっと多くの人が被害にあっています。ニューヨーク市では、この一年に通報されたアジア系に対するヘイトクライムは過去五年間の合計よりも多い。二〇二一年のヘイトクライムの増加幅はややフラットになってきてはいるものの、アジア系に限っていえば歴史的な急増だといえます。

このままいけば、一九九二年（ロサンゼルス暴動の年）以来の記録更新となるかもしれません。その際、カギを握るのは警察への通報数です。被害者の多くが、ポータルへの報告で終わらせず、警察へ通報すれば、記録更新となるでしょう。

紛らわしいのですが、カナダではヘイトクライムのカウントの仕方がアメリカとは異なります。カナダのデータをみると、ヘイトクライムが最も多いのはバンクーバーですが、カナダのヘイトクライムは、アメリカでいうところのヘイト・インシデントに相当します。犯罪には至らないハラスメントや職場での差別も、カナダでは犯罪（クライム）としてカウントされるのです。

注目すべきはカナダの大都市で、こうしたヘイト・インシデントの発生件数が三倍、五倍と膨らんでいることです。これは先ほどのStop AAPI Hateが、より幅広い方法で集めたデータにも表れています。

繰り返しになりますが、データに出ている数字がすべてではありません。とはいえ、こうしたデータはさまざまな傾向の裏を取るうえで役立ちますし、多くの支援団体がこのデータを利用しています。

実際、Stop AAPI Hateが運用するインターネットポータルを使えば、ある時期の特徴、どういった集団が攻撃対象になっているかなど、さまざまな傾向を解明できることが、我々の研究からわかっています。

以前、同様のタイプのポータルでも試しましたが、寸分たがわず同じでした。もちろん数値は異なりますが、とくに平衡化した場合、傾向としてはかなり近い結果が得られます。

二〇二一年の傾向としては、これまでのところ、たとえばサンフランシスコのような都市部でアジア系に対するヘイトクライムが増加しているのがわかります。しかし、二〇二〇年についていえば、カナダのバンクーバーから、アメリカのサンディエゴに南下し、そこから東のフェニックス、テキサスへと抜けるL字ラインで増加がみられました。

ほかにも、我々が追跡調査を行なったアメリカ北東部と中部大西洋岸、ボストン、フィラデルフィアでも増加しています。

統計が取られ始めた一九九二年以来、これまでで最も件数が多かったのが一九九六年で、黒人に対するヘイトクライムも最多となっています。アメリカでは、アジア系に対するヘイトクライムに引っ張られる形で人種犯罪が増加するのです。

二〇二〇年には、多くの都市で黒人に対するヘイトクライムが増加した一方で、反ユダヤの犯罪は減少していました。ところが、二〇二一年になって、堰を切ったように増加しました。

この背景には人びとが抱えるさまざまなストレス要因があります。凶悪犯罪も増えています。職場や公共輸送機関、人びとが集まる場所など、さまざまな場でストレス行動を取っている人の姿がみられ、これがちょっとしたきっかけでヘイトクライムへと発展するのです。

二〇二一年の四月は、とくにヘイトクライムの件数が増加しました。サンフランシスコやロサンゼルスでも増加しましたが、最も深刻なのはニューヨーク市で、アジア系に対するヘイトクライムの発生数は、四月の一カ月間だけで、前年全体の件数を上回っています。

三十代男性の犯罪者が多い傾向

――ドナルド・トランプ前大統領がヘイトクライムに及ぼした影響についてはどう考えていますか。

レヴィン　彼がヘイトクライムをつくり出したわけではありませんが、大統領として解決をめざそうとはしませんでした。二〇二〇年三月十六日にトランプが人種的に非難されるような発言をしたのちには、ちょうどニューヨークで感染者数と死者数が急増したことも重なって、ヘイトクライムが急増しました。

しかし、同年三月二十三日にＦＢＩが「アジア系に対するヘイトクライムが増加するだろう」と示唆（しさ）したとき、トランプは「アジア系に対して寛大にならなければならない」と発言しました。これはトランプらしい言葉ではなかったので、正直、驚きました。

ちょうどそのころ、ロックダウンが実施されたこともあって、人出がほとんどなくなり、全米でヘイトクライムの件数が減少しています。台風の目のように静かでした。

――どういう人がアジア系に対してヘイトクライムを犯しているのでしょうか。

レヴィン　ニュースでは有色人種がアジア系を襲っていると報道されていますが、それは大都市の人種に関するデモグラフィ（人口統計学的属性）を反映しています。たとえばニューヨーク市は、他の都市よりもアジア系やラテン系、黒人がはるかに多い。ロサンゼルスは人口の四六％がラテン系です。まずこうしたデモグラフィの大前提を踏まえる必要があります。

また、どれほど偏見が深くても浅くても、ヘイトクライムを犯す人には共通する要素があります。それは「この相手は攻撃してもいい」というステレオタイプをもっていること。年齢層でいうと、ニューヨーク市やロサンゼルスでヘイトクライムを犯しているのは、主に三十代です。ちなみに連邦議会議事堂を襲撃したのも主にこの世代でした。中年期前の不安と関係しているのでしょう。男性が多いです。

さらにニューヨーク市では二〇二〇年、身元が確認された二三人の逮捕者のうちの一一人は、精神疾患の病歴がありました。ほかには経済的に貧しい人、反社会的な攻撃性をもつ人、アジア人やＣＯＶＩＤ－19（新型コロナウイルス感染症、以下、新型コロナ）に関する陰謀説を信じている人のなかにも、ヘイトクライムを行なう人がいます。とくにQアノンという陰謀説を信じる人たちは、アジア人を「攻撃しても正当化されるターゲット」としてみています。

一方で、アジア系に対するステレオタイプを信じている人のなかには、日々ストレスを感じている人もいます。その意味において、メンタルヘルスや教育は非常に重要です。アジア系に対するヘイトクライムを糾弾するリーダーたちの声明も影響します。

しかし、希望の兆しもみられます。アジア系の人びとを支えようとする大きな動きが、全米のあちこちで起きています。ヘイトクライムの解決をアジア系の人びとの行動に委ねるのではなく、同胞として、市民社会として何ができるかを考えることが大切なのです。この種の腐敗や偏見が勢いづけば、社会そのものの腐敗につながります。

ちなみに、意外かもしれませんが、ヘイトクライムは人のよく集まる公共の場で起きている事実も付け加えておきましょう。

――昔と比べて、ヘイトクライムの対象となる人種にも変化がみられそうです。

レヴィン　そうですね。黒人全体に対するヘイトクライムは減少しています。一九九六年のすべてのヘイトクライムのうち被害者の四二％は黒人でしたが、二〇一九年には二六％にまで減りました。ところが、黒人のなかでもホームレスやトランスジェンダー（生まれつきの身体的性別と、自分が認識する性別、アイデンティティが異なる人びと）に対してのヘイトクライムは増えています。

そして二〇一九年、一番多かったのがアジア系でした。ここ五年で増えてきてはいましたが、二〇二〇年、二一年のように急激な増加ではありませんでした。しかも、その手法は以前よりも暴力的になっており、白昼堂々と単独犯によって行なわれるケースが増えています。

とくにアジア系では、高齢者を狙った攻撃がかなりの数にのぼります。コミュニティでは、若者たちを組織し、テクノロジーの力や地域社会の支援の手を借りながら、問題の周知に取り組んでいます。

――そんな状況のなかアメリカでは二〇二一年五月、ヘイトクライムを防ぐための法律が成立しました。この動きをどう評価していますか。

レヴィン　まだ成立したばかりですので、施行後に機能するかどうかを注視したいと思います。この法律では、司法長官に対して司法省内にヘイトクライムの担当官を任命することや、ヘイトクライムを複数の言語で通報できるようにするシステムを州や市が整備するための指針の作成などを求めています。これらの措置が着実に実行されなければなりません。

また、ここカリフォルニア州では、「State of Hate Commission」（人種憎悪調査局）に関する法案が州議会を通過したところです。酷（ひど）い犯罪者は投獄しなければなりませんが、初犯の場合は「飴（あめ）とムチ」のアプローチを用いて、修復的司法を行なうのがベストでしょう。

これは、犯罪の加害者、被害者、地域社会が話し合うことで、関係者の肉体的・精神的・経済的な損失の修復を図る手法です。若さゆえ、また精神病から犯行に及ぶケースも多く、厳しい措置を取って、むやみに憎悪を助長させるべきではありません。

――ヘイトクライム対策法は、ヘイトクライムの抑止力として機能すると思いますか。

レヴィン　この法律はヘイトクライムが起きたときの対応のプロセスですから、大きな抑止力にはならないでしょう。一方で、この法律には、ヘイトクライムに関するデータ集積について定めたジャバラ・ヘイヤー・ノー・ヘイト法の内容も盛り込まれ、法執行機関の対応と情報伝達の部分では強化が図られています。

とはいえ、犯罪に関する法律の構造そのものを変えるわけではない。今回の法整備は、ヘイトクライムを減少させるための「魔法の杖（つえ）」にはなりえない現実を念頭に置かなければなりません。

非現実的な陰謀論から生じる非難合戦

――新型コロナウイルスの起源が中国であるといわれていることは、アジア系へのヘイトクライムの増加にどの程度影響しているのでしょうか。

レヴィン　ヘイトクライムの背景として、新型コロナのパンデミックが影響しているのは間違いないでしょう。二〇二〇年二月に新型コロナのニュースが出始めたとき、人びとはまだマスクを着用していませんでした。感染爆発はまだ対岸の火事だったのです。

しかし、その後ニューヨークを中心に感染者が放射状に広がります。ニューヨーク市は最も多くの新型コロナの感染者を出しましたが、入院者の増加にともない、三月の一週目直後からヘイトクライムのクラスターが発生します。

同様の傾向はロサンゼルスでもみられました。ウイルスの地理的起源についてのニュースが報じられると、ヘイトクライムは急増し、トランプや他のリーダーたちが社会的に非難されるような発言をすると、増加傾向に拍車をかけました。

ちょうどそのころ、ニューヨークで感染が拡大し、死者が急増したことも影響しました。もともとあった材料に加え、インターネットの情報やトランプたちの社会政治学的な発言に巧みに導かれた結果、ヘイトクライムの急増に至ったのです。

新型コロナ対策が緩和され始めた二〇二一年一月ごろからは、アメリカ中の大都市、ここでもやはりニューヨーク市でアジア系に対するヘイトクライムが増えました。また、いままでアジア系に対するヘイトクライムが起きていなかったサンディエゴ（カリフォルニア州、すぐ南はメキシコ・ティファナ）やルーイビル（ケンタッキー州最大の都市）でも確認されています。

こうした現象は大都市に限らず、各地でみられます。感染が爆発的に広がったり、制限が加えられたりするたびに増加するのです。いまもマスクの着用やワクチン接種の問題は続いており、この先も憎悪の矛先がアジア系に向けられる可能性はあります。

――中国に対してはトランプに限らず、バイデンも強硬な姿勢を示しています。その態度がアメリカ人の対中感情をますます悪化させ、ひいてはアメリカ国内で起こるヘイトクライムの片棒を担いでいるとはいえませんか。

レヴィン　内容が何であれ、ヘイトクライムの触媒作用になるようなニュースが流れると、事件は増加します。ユダヤ人に対するヘイトクライムについても同じです。イスラエルとパレスチナの衝突をきっかけに、ニューヨークでは二〇二一年五月の三週間で、一月から三月までの合計を上回る襲撃がありました。

しかし、ここで押さえておかなければならないのは、アメリカは自由な民主主義をとっているということです。国際的な影響力をもつ人物の行動について検証すること自体は、べつに間違ったことではありません。

相手が、隣国のカナダやメキシコ、ヨーロッパやアジア、中東など、どこであろうと、それは同じです。相手政府の対応に何か問題があれば、指摘するのはもっともなことです。中国政府については、信教の自由の問題もそうですが、新型コロナの起源についても透明性が担保されていないので、ふとしたニュースでもヘイトクライムに繋がります。

ここで気をつけないといけないのは、政策に関する議論がいつの間にか非現実的な陰謀論に発展し、非難合戦に陥ることです。ひとたび非難の応酬が始まってしまえば、ヘイトクライムはますます激化します。もちろん、米中関係、中国がウイグル族に行なっている惨(むご)い行為、新型コロナの起源、これらに関して議論を交わすのは構いません。しかしそれが元になって、アジア系を打ちのめしてもいいという話にはなりません。

同じように中東問題についても議論すべきですが、中東出身者に対する暴力に発展してはいけない。議論が過熱して暴力に至ってしまうことは珍しくありません。難しい問題に対してはまず議論の枠組みをつくり、何らかのルールを決め、遵守(じゅんしゅ)することです。

とりわけセンシティブなイシュー（課題）について話し合う際は、最大限の注意を払うべきです。それに関係する民族性が原因で人を犠牲にしてはなりません。

ソーシャルメディアで拡散されるステレオタイプ

――アジア系を白人が襲う場合と黒人が襲う場合を比べると、後者はマイノリティ同士のヘイトが発生していますね。この問題をどう捉えられますか。

レヴィン　一言でいえば「憎悪の民主化」の問題でしょう。黒人のトランスジェンダーが、同じ黒人に殺されることもあれば、別の人種に殺されることだってある。誰が襲ってくるかわからない。

　これが起こる理由の一つは、ステレオタイプの広がりです。もともとは一つのコミュニティから惹起（じゃっき）していた言説や憎悪が、ソーシャルメディアによって拡散されます。移民問題やドラッグなどいろいろありますが、そこに政治的要素が絡んで広がっていきます。

　こうしたなかには、人種だけでなく、階層、政治的見解の違いを超えて共有されるものもあります。これまでのような識別がなくなり、伝統的な系列にとらわれない、憎悪の民主化がみられるのです。地域によっては、黒人やアジア系に限らず白人に対するヘイトクライムも増加しています。

　どの人種にも宗教にもジェンダーにも、愚か者がいます。しかし、ネットでやり取りされている内容（偏見や憎悪）をみると、問題なのはむしろ、社会全体がますます粗悪（そあく）になり、暴力的になっていることです。多くの有権者たちが愚かな陰謀説をうのみにし、あっさり防護柵を取り払ってしまう。そうした姿勢のほうが問題なのです。

――現在は、誰もがヘイトクライムに加担しかねない時代だともいえます。

レヴィン　いまヘイトクライムは、社会全体に起きるひどい出来事の一種のバロメーターになっています。経済危機、階級間の対立など、ヘイトクライムを引き起こすきっかけはいろいろありますが、たとえば、ジェントリフィケーション（都市の富裕化）など、アジア人とまったく関係がないかもしれないものも、きっかけになりえます。つまり、それが事実かどうかは問題ではなく、あくまでも相手に心理的な影響を与えることが目的なのです。

ヘイトクライムを犯す人は、往々にして最初から浅薄な偏見をもっている場合が多い。だから新型コロナが広がると、自らが偏見をもつアジア人を無意識に攻撃することもあります。もともと抱いている偏見が、新型コロナを契機として行動に出たということです。

新型コロナ対応にしろ、メンタルヘルス対応にしろ、貧困層やＢＩＰＯＣ（黒人、先住民、有色人種）など、最も弱い人たちに行政の手が届かないことも、こうした人びとがヘイトクライムに加担する一因になっているかもしれません。しかし同時に、逮捕者にこうした人びとが多いのは、白人であれば監視カメラに写っていても、見過ごされる可能性もあるからです。

いずれにしても、社会の中に不平や不満、ステレオタイプ、根っからの悪党、陰謀説など、さまざまなものが入り混じっている以上、原因を一つに絞ることは難しいでしょう。

予防の観点が抜けていた

――人びとの憎悪を乗り越えるためには、法整備のほかに何をするべきでしょうか。

レヴィン　まずは教育が重要です。アジア系に対する頑迷（がんめい）な偏見について、社会全体として対応することが必要です。できれば刑事司法一辺倒ではなく、修復的司法、教育面に重きをおいたアプローチがあったほうがいいでしょう。さまざまなタイプに細かく対応できるよう、ローカルレベルで教育し、市民の意識を高めるのです。

もしも、ディスインフォメーション（故意に流す虚偽の情報）があればすぐに指摘し、教育しなければなりません。現在は前例にないくらい社会が分断されていますから、ディスインフォメーションはますます拡散されていきます。

基本的な道徳感、ルールの定着には、情報の正確さがカギとなります。公共サービスに近いものとして、ソーシャルメディア企業にも責任をもたせるべきでしょう。石炭火力発電所の設置に外部性があるように、インターネット上で嘘の情報を流すことにも外部性があるわけですから。

国家レベルでは、一九六四年に成立した公民権法の、法の執行には関係のない調停の部分であるＣＲＳ（Community Relations Service：地域関係活動局）を再活性化し、活動の幅を広げるべきです。その動きを一時的なものにとどめるのではなく、アメリカの歴史に刻み込まれるように永久的なものにする必要があります。

ＣＲＳを消防署と同じような存在にするとでもいえばよいでしょうか。消防署は当然、火災が発生してから建設するのではなく、火災が起きたときのために常備しておくものですね。同様にＣＲＳも、コミュニティのなかにつねに存在しなければなりません。

――ヘイトクライムに対して未然に備える仕組みづくりが重要だということですね。

レヴィン　そのとおりです。これまでの対応は多くの場合、事後的施策に終始して予防の観点が欠けていました。我々の憎悪・過激主義研究センターの諮問委員会には医師も入っていますが、彼は憎悪を公衆衛生の問題としてアプローチしています。ヘイトクライムを犯した側だけでなく、被害者側も利用できるメンタルヘルス施設が必要です。

いまやるべきことは、ヘイトクライムが起きたらリアルタイムで迅速に対応できるように、つねに備えておくことです。警備にあたる警察や、公衆衛生の職員を増やす、被害にあう可能性の高い人びとの言語を話せるオペレーターを増やすなど、できることはたくさんあります。社会全体が同じ方向を向けば、ヘイトクライムを防ぎ、被害者を助けることはできます。

これは口で言うことは簡単ですが、実行するように人びとを説得することは難しい。実際、「人種憎悪調査局」の法案が議会で可決されるまでに二年かかりました。残念ながら、これからもヘイトクライムは増加するかもしれません。犯罪のさまざまな動機のなかでも、政治的な要素が増えているのは由々しき事態です。我々は、自分たちにできる限りの活動を引き続き行なっていきたいと思います。

Chapter 2

「ファンタジーランド」と化すアメリカ

狂気と幻想がつくり出した五百年の歴史

二十年近くアメリカに住んだ私でも、アメリカの本質を理解するのは難しい。多くの日本人はアメリカをかなり誤解しているのではないか。そこで登場するのが、カート・アンダーセン氏だ。全米でベストセラーになった『ファンタジーランド』の著者だが、アメリカをこう言い表したのは正鵠(せいこく)を射た表現だと思う。

アメリカがほかの国とは異なるという「例外主義」は昔からいわれているが、トランプが登場した必然性、トランプがなぜ福音派の信者に支持されるのか、あるいは、なぜ陰謀論がここまで根付くのかなど、現在のアメリカを理解するにはその背景について詳しく知らなければならない。それをアンダーセン氏はわかりやすく解説してくれている。

Kurt Andersen

カート・アンダーセン

作家

1954年、アメリカ合衆国ネブラスカ州生まれ。ブルックリン在住。ハーバード大学卒。『バニティ・フェア』誌、『ニューヨーク・タイムズ』紙に寄稿し、『タイム』誌や『ニューヨーカー』誌で文化コラムや評論を担当。『スタジオ360』(ピーボディ賞受賞)の共同制作者兼ホストを務める。『スパイ』誌の共同創設者、『ニューヨーク・マガジン』誌の編集長。著書に『Heyday(絶頂期)』(未邦訳)、『世紀の終わり』(早川書房)、『ファンタジーランド 上・下』(東洋経済新報社)など多数。

「真実」や「現実」を創作できるという信条

――アメリカが五百年の歳月をかけて「ファンタジーランド」と化した歴史を、上下巻にわたって考察した著書『ファンタジーランド』が全米でベストセラーになっています。本書には、一五〇〇年代のアメリカ建国からトランプ大統領の出現に至る現代までに、アメリカの狂信者によってあらゆる「幻想」が生み出され、その幻想によってアメリカは創られていると記されている。そもそも「ファンタジーランド」とはどういった概念を指すのでしょうか。

アンダーセン　もともとアメリカは一攫千金を夢見るイギリス人によって、開拓され、生み出された国です。インディアンと呼ばれる原住民の住む国には、莫大な量のゴールドが眠っている。そんな幻想にとり憑かれた人びとが、最初の移住者としてアメリカにやってきた。まさに「ファンタジー」からスタートした国だといえるでしょう。

さらに「建国」＝「国を創作してきた」という自負心によって、「真実」や「現実」そのものを自分たちの力で創作できるという信条が、アメリカには根付いています。各々が自分自身の都合に合わせた真実を創作していった挙句、「真実」(the truth) に対して「私の真実」(my truth) を口にする事態に陥った。言い換えれば、虚構や事実ではないことが、あたかも事実として扱われてきたのです。

それは神の存在に対する信仰に始まり、悪魔信仰や魔女裁判、フリーメイソンやケネディ暗殺にまつわる陰謀論、はたまたアメリカに来れば、誰しもが成功できるといった「アメリカンドリーム」にも表れている。こうした傾向はアメリカだけにみられるわけではないものの、アメリカという比較的新しい国の中核を成していることはたしかです。

このようなファンタジーの信仰の積み重ねのうえに、アメリカという「狂信者の国」ができあがってしまった。コロナ禍で叫ばれる「ワクチンは自閉症を引き起こす」といった話や、トランプが秘密結社と闘う英雄だと叫ぶQアノンをみても明白なように、自分の信じたいものを信じるというアメリカ独特の思想が、とくにここ五十年、我々を困難に追い込んでいるのです。

――アメリカ人が幻想を信じやすい背景には、どのような要素があるのでしょうか。

アンダーセン　まず大きな要素として挙げられるのは、アメリカ人の特異な（peculiar）宗教性です。特異なといったのは、多くのアメリカ人が自分たちを非常に宗教的であるとみなしているからです。さらにいえば、アメリカにおける福音派のプロテスタント主義がもつ先進国的な気質が、例外的に特異だということです。

アメリカの「ファンタジーランド」が形成された土台には、このプロテスタントの出現が深くかかわっています。アメリカのプロテスタントは、オーストラリアのプロテスタントやヨーロッパのプロテスタントとは異なり、さまざまな宗派が存在し、宗派ごとに異なる見解をもっています。

アメリカのプロテスタントは五百年前に始まりましたが、カトリックとはまったく違う要素をもつ。カトリック教会はバチカンに本部を置き、ローマ教皇や枢機卿（すうききょう）、司教といったヒエラルキーがあり、ドクトリン（教義）に対する支配を維持しています。

一方でプロテスタントには、ローマ教皇のような存在もいなければ、教皇庁もありません。何千という教義がある半面、「これだけを信じなさい」という支配的な教義はない。自分で聖書を読み、何が真実であるかは自分で決める。そのなかで自分と神の繋がりを感じるのです。

自分の世界は、己と聖書だけで成り立っている。この考え方は非常にアメリカ的であり、他国のプロテスタントに比べて、じつに例外的です。アメリカ精神の大部分を担(にな)う「個人主義」は、こうした独自のプロテスタントの価値観によって誕生しました。

過激で極端な解釈を掲げる超自然的な宗派の台頭

――そうしたアメリカ独自のプロテスタントの価値観が生まれた背景には、どのような歴史があるのでしょうか。


アンダーセン 一七〇〇～一八〇〇年代のアメリカには「責任者」が存在せず、誰もが自分のやりたいことをやり、自分の町をつくり、自分の宗教を始めることができました。

そうした流れも相まって、各個人が自分なりの真実をみつけ、さまざまなバージョンの聖書の解釈が生み出されますが、そのなかには当然、変わり種も含まれていました。

そのエキセントリックな解釈は、時間の経過とともに、アメリカのプロテスタント主義の本流と化し、本格的な巨大教会をも出現させるほどの力をもつようになりました。十九世紀から二十世紀に入るまでは、プロテスタントのなかで力をもたなかったエキセントリックな新宗派が、一九五〇年代、六〇年代、七〇年代と勢力を広げ、ついに二十世紀の終わりにはプロテスタントを支配するまでになったのです。

いわゆるイギリス国教会やヨーロッパのプロテスタントからイメージされる、当たり障(さわ)りのないプロテスタントは鳴りをひそめ、より過激で極端な解釈を掲げる超自然的な宗派が台頭していくことになります。

いまでこそ絶大な力を誇る、このアメリカ的プロテスタントですが、百年ほど前に一度、消滅しかけた時期があります。このまま過去の遺物となり、ヨーロッパのプロテスタントと同じところに落ち着くかと思われましたが、そうはならなかった。一九二〇年代から五〇年代にかけての冬眠のような時期を経て、六〇年代、七〇年代に一気に勢いを盛り返したのです。

反エリート主義はアメリカの国民性の一部

——プロテスタント的な価値観が現代のアメリカ人にも強く受け継がれていると述べられ

ていましたが、それは無神論者や宗派に関係なくいえることなのでしょうか。

アンダーセン 多くの人は必ずしも、自分のことをバプティスト（プロテスタント最大の宗派）や教会員と考えてはいません。しかし、神を信じていない人でも、このプロテスタント的な考えを根本的な価値観のなかに採り入れています。

前述したように、自分自身で神との関係を見極めるといったことや、自分の信条は自分で決めるということは誰しもが実践しているといえます。信じたいものだけを信じればいいと考えるのは、共和党やドナルド・トランプ前大統領を支持する白人福音派に限った話ではないのです。

もちろん、自分のみた「事実」だけを熱心に信じ、国民に不幸な影響を与えているのは、共和党員とキリスト教福音派だといえるでしょう。残念なことに、現在の共和党はキリスト教の教えをあまり体現していないように思えます。かつてないほどクリスチャン色を鮮明に打ち出している割には、隣人を助け、隣人を愛し、貧しい人に寄付するという意味のクリスチャンらしさを欠いていて、むしろ対極にあるといっていい。

表向きはクリスチャンを名乗り、人工中絶の禁止や銃の擁護（ようご）にまわり、地球温暖化は起きていない、規制は必要ないと言い張る。いまの共和党は「幻想党」になり果て、信者から票を集めて民主党との覇権争いに精を出しているにすぎません。

――トランプ支持者の多くは福音派です。しかし、あなたは本の中でトランプはまったく宗教的ではないと書いています。それならば、なぜトランプは福音派の信者に支持されるのでしょうか。

アンダーセン　その質問はこの時代を象徴する最も重要な問題です。トランプは敬虔な信者ではありませんし、そう振る舞おうともしない。にもかかわらず、福音派であってもなくても、これほどまでにトランプ支持者を活気づけるものは何か。それはトランプの異常なまでの頑迷さと人種差別主義的態度です。これはアメリカの反エリート的な要素と関連していると捉えられます。

昔からアメリカには反エリート主義、反インテリ主義が根強く存在しています。とくに地方に住む人びとやブルーカラーの労働者は、上位のエリートによって自分たちが搾取されていると強く感じている。これはアメリカの国民性のなかの一部ともいえるでしょう。

人びとは、支持する政策や経済に対する立場が一致したときよりも、むしろ忌み嫌う対象が一致したときのほうが結束します。そして、福音派についてみてみると、表向きは神を信じ、宗教を重んじていて、自分たちと考えを異にする人たちとは距離を置いている。しかし、自分たちの不平や不満、怒り、嫌悪感をわかち合うためなら、その人物の信仰心については不問に付すことができるわけです。彼らがトランプを支持するのは、政策が理由ではありません。同じような状況に置かれた人びとが、トランプを支持することによって互いに絆を感じ合えるからなのです。

一般的に、自分と同じ宗教観をもたない人とはわかり合えない、と多くの人が考えるでしょう。しかし、トランプは支持者と信仰を一つも共有していません。代わりに、エリートに対する怒りや苛立ち、そしてエリートから受ける侮辱を共有しています。それらがトランプを支持する大きなモチベーションになっています。

――アメリカの選挙と宗教には密接な関係があると考えられています。

アンダーセン　アメリカ憲法では、特定の宗教を信仰することを政治家に対して要求していません。しかし実際には、アメリカの選挙で自分が無神論者であるといえば、ほとんどの地域で落選するでしょう。

振り返ると、バラク・オバマが大統領に立候補していた際、彼がクリスチャンではなく、隠れムスリムであるとして酷く中傷する人びとがいましたね。このように、立候補者がどの宗教を信仰しているかどうかは、アメリカの一部の人にとって非常に重要な意味をもちます。

――宗教的な見解が政治に大きく影響するという点では、人工妊娠中絶の是非もアメリカでは政治の大きな論点になっていますね。

アンダーセン　中絶の問題は、昔から政治の場で大きく取り上げられてきたわけではありません。一九七〇年代初頭には、アメリカで最大教派の南部バプテスト連盟も、まだ中絶には前向きで、福音派もこの問題に関心をもってはいませんでした。それがその後、四十五年をかけて、右派の人たちにとっての大きな関心事になっていったのです。

これはちょうど「ファンタジーランド」が形成されていった時期に重なります。一九七三年に出た、ロー対ウェイド判決（女性の人工妊娠中絶の権利を合法とした連邦最高裁判決）の後あたりからです。

最初に宗教をあからさまに政治にもち込んだのは、共和党ではなく、民主党のジミー・カーター元大統領です。彼は大統領としてはじめて、「ボーンアゲイン（個人の罪が赦され、聖霊により生まれ変わることを意味）」という言葉を公に口にしましたが、多くのアメリカ人はその言葉のもつ意味すら知りませんでした。

個人主義が間違った方向に加速した

――一九六〇年代の経済的繁栄と、九〇年代以降のインターネットの出現は、アメリカ人の幻想をどのように変化させたといえるのでしょか。また、現在のＧＡＦＡはアメリカ史においてどのような役割を担っているとお考えですか。

アンダーセン　まず、インターネットがなければアメリカは「ファンタジーランド」になっていなかったでしょうね。六〇年代、七〇年代以降に起こった出来事にマッチで火をつけたのが、デジタルとウェブの出現だったといっても過言ではありません。
「ファンタジーランド」の視点からみると、インターネットには大きな短所があります。「ワクチンは自閉症を引き起こす」という「事実」を信じている反ワクチン派が生まれたのは、九〇年代後半にインターネットの規模が大きくなった時期と重なります。ちょうどGAFAの一つであるグーグルが出現したときです。グーグルが最初に行なった業績の一つが、ワクチンについての虚報をまき散らすことでした。
こういった虚報をはじめ、二〇二一年一月六日に起きたアメリカ連邦議会議事堂占拠事件など、すべてのナンセンスな事態がインターネットによる情報拡散能力によって可能になったのです。そして、インターネット上に創られた「ファンタジーランド」は、現実の世界に対しても支配権をもつようになってしまった。

――アメリカ人が「自由」と呼ぶ思想が暴走した結果、現実と幻想の区別を認識することができなくなってしまったといってもよいのでしょうか。

アンダーセン　一〇〇％そうだと断言できるでしょう。私自身、個人主義や個人の自由といった概念を重んじるアメリカが好きでした。しかし、それらは時間とともにバランスが崩れ、異なる意味を帯びてしまった。

もちろん、アメリカ以外にも個人主義の国はありますが、アメリカの個人主義は「私は何をやってもいい、誰かのいうことを聞かなくてもいい」という極端な考えです。どの社会も自明の理として心得ているはずの、共同体と個人のバランスを欠いている、それがいまのアメリカなのです。

このような個人主義が間違った方向に加速した結果、我々は銃を規制できなくなり、多くの人がQアノンをはじめとした狂気の沙汰(さた)を信じる根拠となった。現状は、「個人の自由」の暴走が手に負えなくなった状態だと私は思います。

——現実と幻想の区別がつかない人の考え方を変えるのはほとんど不可能ではないでしょうか。

アンダーセン　まさに問題はそこに存在します。いったん強固な事実、経験的現実(繰り返し可能な測定で証明できる現実)の領域から自分を離してしまうと、何もかもが事実上、宗教的な信条になってしまいます。そして宗教的、神聖な含みがある以上、たとえば「コロナウイルスはでっち上げだ」「ワクチンは毒だ」というナンセンスな主張も、これを否定すれば、自らの宗教を否定することになってしまうのです。

この本が出版されたときに、「どうすればアメリカのナンセンスを止めることができるのか」とよく聞かれました。誰もが狂った現状を正常な状態に戻すにはどうすべきかと頭を抱えているのです。

こういった状況を加速させているのは共和党ですが、以前からアメリカにおける個人主義は暴走の傾向にありました。言い換えれば、トランプは既存の潮流にうまく乗じただけで、トランプがいまのアメリカの状況を創り出したわけではありません。とはいえ、この五年でみられたように、アメリカで生じた大きな分断は、彼の影響が大きかったと捉えられるでしょう。

これらはあまりにも根深い問題であるため、どうすればアメリカを正常な状態に戻せるか、私にはわかりません。たった一度でも、自分の信じた「正義」や「事実」を妄信する権利がある――。市民がそう思い込んでしまえば、その価値観を変えることは容易ではありません。我々にとっては幻想でも、彼らにとっては確固たる「事実」になってしまうのですから、もはや議論が成り立たないのです。

――二〇一六年のトランプ大統領の登場は、避けようがなかったと考えていますか。

アンダーセン　トランプが大統領に選出されたのは、私がこの本をもうじき書き終えるというタイミングでした。正直、風変りで小難しい内容なので、まともに受けとめる人はいないんじゃないかと思っていたのですが、そこへこの本に書いたことを実証するかのようにトランプが現れた。まるでアインシュタインの相対性理論がのちに実証されたような感覚を覚えました。

もしトランプが大統領になっていなくても、アメリカにはトランプが利用しようとした基本的条件がそろっていたでしょうし、トランプではない別の誰かがそれを利用していたでしょう。そういう意味では、トランプは登場すべくして登場したといえるかもしれません。

――陰謀論の存在はどのようにアメリカの政治や文化に影響を与えたといえますか。

アンダーセン　陰謀論は性質上、政治的な意味合いを帯びています。アメリカの陰謀論の近代におけるリアルな誕生は、先に述べたジョン・F・ケネディの暗殺に関するものです。彼を憎む人物が存在しており、そのみえない人物によってケネディは消された。多くの人がそう信じ、アメリカ政治の闇に対して恐怖を抱いた。このように陰謀論は国家に直接、負の影響をもたらしているといえる。

実際のところ、一九五〇～六〇年におけるジョセフ・マッカーシー時代やジョン・バーチ・ソサエティ時代に台頭してきた右派や極右が広めた多くの陰謀論には、ある程度の真実があります。たしかに当時のソビエト連邦や中国共産主義は、打倒西洋を掲げ、アメリカを倒そうとしていたからです。とはいえ、この時期に広まった陰謀論のなかには、ごく短期的には、行き過ぎた反共熱のようなものもみられました。ある意味、今日（こんにち）目にしている状況の伏線、またはプレリュード（前兆）だったといえるかもしれません。

ただ、いまと違ってインターネットが普及していなかった当時は、誰かが「共産主義者がアメリカを乗っ取ろうとしている」「大統領は隠れ共産主義者だ」と考えたとしても、その陰謀論が急速に広まることはなく、受ける影響も知れていました。

ところがいまではパソコンに打ち込みさえすれば、誰にでもオーサリング（文字や画像のデータから一つのコンテンツをつくること）やモーフィング（画像を変形させるなどの処理）ができ、ありとあらゆる陰謀論を流すことができます。ある意味、民主的といえるかもしれませんが、得体の知れない奇異さや危険性もはらんでいます。

人びとの不安が陰謀論を生み出す

――先が見通せない不確かな時代であることも、こうした陰謀論が出てくる要因になっているのでしょうか。

アンダーセン　不確かさというよりも、人びとの抱える不安のほうが大きな要因でしょうね。先のことがわからないのはどの時代も同じです。さまざまな陰謀論がもちあがった一九五〇年代は、戦争が終わって世の中が上向いた繁栄の時代で、不確かさが問題になることはなかったでしょう。陰謀論が生まれるのは、経済不安など、人びとの不安にインターネットが結びついたときだと思います。また、その陰謀論の内容も、ここ二十年ほどは右翼的なものに偏っている印象を受けます。左右を問わずさまざまな陰謀論があった、一九六〇年代から八〇年代までとは対照的です。

一方、二十世紀全体を通じてみた場合、アメリカの陰謀論がもっとも焦点を当てていたのは共産主義でした。当時の全体主義的な悪者と、自由主義を掲げた正義のアメリカといった二項対立であれば、世界はかなりわかりやすく説明がつきました。

しかし、ソ連が崩壊して、中国がある意味で〝普通の国〟になると、アメリカもそれらの国々と経済的な同盟を組むようになった。そうすると、悪者が誰かわからなくなり、世界の仕組みがみえなくなってしまう。そこで人びとはより世界をわかりやすくするために、一つの敵に焦点を絞ろうと、エリートによる陰謀が存在するという考えをもつようになりました。

みなさんのなかにも「新世界秩序」という言葉を聞いたことがある人は多いのではないでしょうか。これは一九九一年に刊行されたパット・ロバートソンのベストセラー〝The New World Order（新世界秩序）〟のタイトルにもなりました。巨大な権力が主権国家の枠を超えた世界構想をつくりあげ、我々を支配しようとしている――。そういった陰謀論です。この「新世界秩序」の存在が、多くのアメリカ人に影響を与えたのはいうまでもありません。

Chapter 3

北朝鮮の核攻撃に弱い国はどこか

地政学の権威が説く「日本が置かれた現実」

日本人がアメリカという国を誤解している話は、カート・アンダーセン氏のところで書いたが、このジョージ・フリードマン氏も「アメリカは世界で最も誤解されている国だといえるかもしれない」という。日本だけではなく、世界中で誤解されている国であるというのは、決して大袈裟な話ではあるまい。

「アメリカでは、どんなビジネスも最後は失敗するものと考える」という氏の発言を聞くと、ヨーゼフ・シュンペーターの「創造的破壊」という言葉を想起する。フリードマン氏が提唱する制度的サイクルと社会経済サイクルを念頭に入れると、アメリカで起きていることを大局的にみられるだろう。日本に対する提言に対しても反論するのは難しい。

George Friedman

ジョージ・フリードマン

地政学アナリスト

1949年、ハンガリー生まれ。ニューヨーク市立大学卒業後、コーネル大学で政治学の博士号を取得。ルイジアナ州立大学地政学研究センター所長などを経て、96年に世界的インテリジェンス企業「ストラトフォー」を創設、会長を務めた。2015年に同社を辞し、「ジオポリティカル・フューチャーズ」を妻メレディスと創設、会長を務める。著書に『100年予測』『続・100年予測』『2020-2030 アメリカ大分断』(いずれも早川書房)など。

アメリカ人の大半が抱く政治への不信感

——二〇二一年一月二十日、アメリカではジョー・バイデン政権が発足しました。ドナルド・トランプ氏が大統領選挙で敗北した要因として、新型コロナ対策の失敗が指摘されていましたが、どう考えていますか。

フリードマン　たしかに、新型コロナが世界的に感染拡大してパンデミックが起きる前は、選挙に勝つ条件はトランプのほうに揃っていました。現職であり、かつ経済も上向いていた。しかし私は、トランプ政権の敗北の原因がコロナ対策だけだとは考えていません。アメリカが相当な失策を犯したのは事実ですが、コロナ対策はどの国も失敗しているうえ、アメリカは国も大きく、状況も複雑です。また、トランプのみならず、そもそも多数のアメリカ国民は医療の専門家を信用していない。その点においてトランプは、ユニーク（特殊な存在）ではありませんでした。

――では、トランプ敗北のカギとなった要素は何でしょうか。

フリードマン　いまアメリカ国内は真っ二つに分断されており、選挙結果がどちらに転ぶかは紙一重でした。国民の半分はエスタブリッシュメント（支配階級）を支持し、型破りな行動に反発していますが、もう半分はその型破りな行動を支持し、エリートには正当性がないと考えています。

今回の大統領選の大枠は、じつは二〇一六年選挙のときと似ています。トランプは前回も、一般選挙の得票数では対立候補を下回っていました。しかし、今回は選挙人の獲得数でも上回ることができず、大統領の座を譲ることとなった。トランプの支持率自体は前回選挙時とそれほどは変わりませんが、今回は激戦州で競り負けてしまったことで、十分な選挙人を確保できなかったのです。

――二〇二一年一月六日、トランプ支持者の一部が暴徒化し、連邦議会議事堂を占拠しました。死者も出て「米民主主義史上、最大の汚点」との声も聞かれます。

フリードマン　議事堂は合衆国の「聖心」に当たります。そこで暴動が起きるなど前代未聞であり、じつに恐ろしいことです。規模からすると「反乱」とまではいえませんが、暴力による冒瀆なのは間違いない。ただ暴力行為自体はそれほど珍しいことではありません。驚くべきはそれが神聖な議事堂で起こり、しかもそれを大統領が煽ったということなのです。

一方で、この出来事がアメリカ人の大半が抱く政治への不信感や憤りを反映しているのも事実です。暴徒は議事堂を完全に支配したわけではなく、周到な計画もありませんでした。いってみれば素人集団で、あくまでもトランプのために戦いました。彼らにしてみれば、正直、これほどの抵抗にあうとは思っていなかったのではないでしょうか。

たしかに常軌を逸した行動ではあるものの、革命を起こすとか、そんな力のある集団ではなかった。ところがトランプの敵は、この事態をクーデターのようにみせようとし、それに対してトランプ支持派は反対派の企てであるかのように仕向けている。互いの非難の応酬はとどまるところをしりません。

——両者の分断がさらに深まっているわけですね。

フリードマン　いまのアメリカには、二つのファクション（派閥・層）による分裂が生じています。一つは、一九八〇年代のロナルド・レーガン時代から力を伸ばしたテクノクラシー（技術による支配）や金融に携わる支配階級です。もう一つは、経済的もしくは文化的に負け組になった衰退階級です。

後者は、経済面ならば、中国や移民に自分たちの仕事をとられたケースが挙げられます。文化面では、ホモセクシュアリティや婚前交渉は信仰上で罪だと教えられた人が多く、テクノクラシー側の人間からは、前時代的で、ヒラリー・クリントンの言葉を使えば「deplorables（哀れな奴ら）」とみなされます。

ヒラリーはテクノクラシーの産物であり、それに対抗する層の代弁者がトランプです。二つの階級の戦いがだいたい五年や十年と続く。戦いの中身はよくわからないが、とにかく支配階級と衰退階級が争っており、不安定な時代の到来を予感させます。支配階級は衰退階級を軽蔑（けいべつ）し、衰退階級は支配階級を信用せず、敵視する。この関係性からやがて危機が生じるのです。こうした危機がおよそ五十年ごとに訪れています。

階級間の戦いはしばらく続く

――衰退階級の支持を集めるため、トランプがSNSなどでよく使った表現に「drain the swamp（沼の水を抜く）」がありますね。

フリードマン swampは「沼地」を意味する言葉で、解決が困難な状態の喩えとしても使われますが、トランプはこの「沼地」を、アメリカ人の意志をのみ込んでしまうもの、つまり官僚主義の喩えに用いている。衰退階級がいくら現状を変えてほしいと願い、政治家に期待したところで、結局は官僚主義に阻まれ、決して叶えられることはない。つまり、彼らにいわせれば民主主義は死んでいるのです。

いま、トランプは規範から外れたことをしたといって攻撃に晒されていますが、彼にいわせればその規範自体、もともと腐敗している。そして彼の支持者たちの目には、規範というものが自分たちの利益に反しているように映る。そこへトランプが、彼らの願いが沈んでいる沼の水を抜いて、変化を起こしてみせよう、そう約束し、衰退階級の共感を集めたのです。

しかし、結果的に官僚主義はそのまま残り、約束は実現できなかった。しかも、結局のところ、トランプの支持者はマイノリティでしかない。数は多くても、社会のマイノリティなのです。

――「トランプ氏が退（しりぞ）いても、今後しばらくトランピズム（トランプ主義）は消えない」との意見も根強いです。その一方で、アメリカ人の心は勝者のほうに傾くので、遅かれ早かれトランピズムは姿を消すという意見もありますが、あなたはどう考えますか。

フリードマン　アメリカは勝者のみを評価するわけではなく、歴史的には敗れた側をも支持しています。また、コンピュータープログラマーや研究者やジャーナリストといったテクノクラシー側の人間たちは、これで戦いは終わったと考えているようですが、それは幻想にすぎません。というのも、こうした戦いはこれまでのサイクルからいって、十年は続くのがふつうだからです。

トランピズムの象徴である衰退階級は、自分たちの文化的価値から経済的な地盤に至るまで、多くのものを失ってきました。こうした衰退階級が存在する限り、トランピズムは消えずに残り、これからも支配階級を敵視し続け、階級間の戦いはしばらく続くでしょう。

——二〇二四年の大統領選挙にトランプ氏が出馬するとの報道もありますね。

フリードマン　もしトランプが出馬しなくとも、彼の意志を継ぐ候補者が衰退階級を代表する確率は高い。しかし、衰退階級の勢いは以前よりもしぼみつつあります。彼らは二〇一六年には勝利を収めましたが、二〇二〇年ではあと一歩及びませんでした。つまり、衰退階級は依然として残存し続けるが、政権を奪還できる可能性は低い。彼らはパワフルではあるものの、支配権はもてないのです。その構造が彼らの怒りを大きくし、アメリカに深い危険をつくり出し、今後十年のあいだ続くと私はみています。

経済・社会活動を軽視する専門家への反発

——あなたの著書『2020-2030 アメリカ大分断』(早川書房)の原書は、二〇二〇年二月に刊行されました。アメリカの制度的サイクルと社会経済的サイクルの末期が重なる二〇二〇年代半ば以降が、アメリカにとっての転換期であると指摘しています。原書の刊行から一年が過ぎて、そのあいだにパンデミックもありましたが、この見立ては変わっていませんか。

フリードマン　もちろんです。むしろ、予想していた流れが加速しています。アメリカの制度的なサイクルは、歴史に鑑みるとおよそ八十年ごとに変化していることがわかります。

最初のサイクルは、一七八〇年代後半の独立戦争終結と合衆国憲法制定から始まりました。二番目は一八六五年の南北戦争後で、そのあいだに州と連邦政府間の関係は激変しました。三番目は一九四五年に終結した第二次世界大戦以降で、連邦政府はさらに大きな力をもった。専門家の諮問機関も確立しました。専門家がいたからこそ戦争に勝ち得たわけで、戦争の真の勝者は兵士ではなく、専門家ともいえたのです。

その八十年後にあたる二〇二五年以降は四番目のサイクルに当たるわけですが、私はこの時代について、テクノクラート（技術官僚）や専門家に対する国民の不満が露呈すると本書で予測しました。専門家には物事を狭い範囲でしかみられないという弱点があります。小さな点では特化しているものの、他への影響まで注意がゆきわたらない。

そのあとに出現した新型コロナは、まさしくそうした専門家に対する国民の不満を表面化させています。治療法は確立していないにもかかわらず、医療界は国民に対してマスクの着用やソーシャル・ディスタンシングを徹底するように訴える。これらの主張は、たしかに医学的な視点からは正しいでしょう。

しかし、経済的・社会的な影響について、医療界は「自分たちの仕事ではない」の一点張り。専門家は自らが精通する分野のことは理解していても、よりマクロな影響についてはみえていない。彼らは多くの問題を解決しているのかもしれないが、同時にさらに多くの問題をつくり出しているかもしれないのです。

――ある分野でゼロリスクをめざそうと強い措置をとると、別の領域でのリスクが増すことがありますね。

フリードマン トランプは、新型コロナ対策で政府に助言していたアンソニー・ファウチ医師（国立アレルギー・感染症研究所所長）を「この男は大惨事だ」などと批判しましたが、私は一理ある発言だったと思いましたよ。自らの主張が経済や社会に与えるマイナスの影響を、ファウチ医師が理解しているとは思えないからです。別のアプローチを提言する専門家もいたにも関わらず、今回採用したのは最も極端なアプローチでした。専門家というのはすべてを見通してものをいっているわけではありません。専門家たちが予期していなかった結果が起こったとき、大きな社会的混乱が引き起こされます。

そもそも、新型コロナ襲来以前より、アメリカは深い経済的な問題を抱えていました。前回、つまり社会経済的サイクルの第四期においては、お金が十分に出回らず、金利が上がりすぎるいう問題がありましたが、一九八〇年に始まった今回の第五期のサイクルでは、金利が上がらず、銀行に金を預けてもほとんど得しない。つまり、お金の価値が下がっており、さらに、経済がテクノロジー頼みという問題もある。マイクロチップが新しい経済と文化を生んだ時代は、すでに始まりから五十年が経ち、もはやハイテクとはいえません。

また生産性が思うように向上せず、かつてのようなダイナミックな成長も期待できない。金自体は余っているけれど、その投資先がみつからないために、経済の不安定度は増していきました。新型コロナはそうした危機に上積みされただけで、危機自体は以前からあったのです。

加えて、現在は先ほど述べた支配階級と衰退階級間の社会的危機をはらんでいます。こうした危機に本来対応すべきはずの政府は、社会経済的な難局に対応する幅広い権限をもっているにもかかわらず、やるべき仕事をこなしていません。アメリカはこれまでも数々の苦難に直面しており、それも五十年ごとにめぐってきています。ただし、今回の場合はそこへ八十年周期の制度的サイクルの危機も重なってきます。このように、社会経済的サイクルと制度的サイクルが同時期に切り替わり、危機が重なったのは、じつは今回が初めてです。

アメリカは脆くなるのも再生するのも速い

――現在のアメリカは混乱に陥っているようにみえるけれど、制度的サイクルと社会経済的サイクルの末期が重なっているだけで、新たなサイクルに入れば秩序は復活するのでしょうか。

フリードマン　そのとおりです。前回の社会経済的サイクル移行期にあたる一九六〇年代や七〇年代には、あらゆる都市で黒人による暴動が起きました。マーティン・ルーサー・キング牧師が凶弾に倒れ、ジョン・F・ケネディやロバート・ケネディも暗殺されました。泥沼化したベトナム戦争は反戦運動の契機となり、またリチャード・ニクソンが弾劾（だんがい）された時代です。インフレ率は二桁と高く、私が家を購入した際の住宅ローン金利は一八％で、失業率も一二％と高かった。しかし、それを乗り越え、いまのアメリカがあります。

我々には一つのプロセスがあります。アメリカは脆（もろ）くなるのが速い半面、再生するのも速い国です。変化が速い分、ある時点、だいたい五十年ぐらい経つと毎回システムに亀裂が入りはじめる。加圧に耐えられなくなるのです。そこで自ら修正に入る。新たな現実に対処できなくなった古いシステムが変化を引き起こし、次のサイクルが始まるのです。

一九七〇年代、ニクソン、フォード、カーターが続いて大統領になりますが、この三人は状況がのみ込めずにいた。ベトナム戦争が終結した一九七〇年代を経て登場したのがレーガンでした。彼は、当時のアメリカの問題は国内に十分な金が回っていないことだと言い放ち、富裕層に対して減税しました。この政策は痛烈な批判を浴びたものの、そこから巨大な投資が起こり、現在のハイテク経済へと繫がっていきます。

——経済的に繁栄しても、政治的な混乱は相当なものです。

フリードマン　いま世界中の多くの人びとが「アメリカの時代は終わった」と思っているかもしれません。しかし、我々はあくまでも歴史的なサイクルの過渡期、再発明の途上に立っているだけです。そもそもアメリカという国は、憲法起草の委員会の場で誕生した国、すなわち自らによって発明された国なのです。その人口も、次々とやってくる移民たちによって増え続け、国土すらも何度も線引きが行なわれ、そのたびに新しく生まれ変わっていった。

また、アメリカでは、どんなビジネスも最後は失敗するものと考える風潮があります。ゼネラルモーターズや、スタンダード・オイルも、その成功と繁栄が未来永劫続くようにみえて、最後は落ち目にあっています。すなわち、アメリカには、失敗と成功で一括り（ひとくく）りと捉える向きがあるのです。そして五十年という周期で経済社会的な危機が訪れる。つまり、これがアメリカという国で、そこが他の国と大きく異なります。

だが、外の人間にはそういう特異性がわからない。だから、アメリカという国がもう終わったかのように映る。しかし、アメリカは決して、終焉（しゅうえん）を迎えているわけではない。その意味で、アメリカは世界で最も誤解されている国だといえるかもしれない。

――パンデミックという世界的危機に直面し、各国の政治指導者のリーダーシップにも注目が集まりました。リーダーシップの成否を分けるものは何でしょう。

フリードマン　適切な指導力をもつリーダーは、まず専門家の限界を理解しています。たとえばジョン・F・ケネディは、ソ連と核戦争をすべきだという専門家の意見を退けました。専門家を側に置きはしても、心の中までは入らせない。加えて、自分に近しい人たちに限定せず、複数の層に、雄弁に語る能力を有していることも重要です。その筆頭がジョン・F・ケネディであり、レーガンでした。政策面でレーガンを忌避する者は少なくありませんでしたが、それでも彼はパワフルな協調体制を築くことができました。

一方でトランプは、自分の支持者に対しては雄弁に話すことができるものの、他の層を魅了するには至らなかった。真に有能なリーダーは、自分のことを嫌っている人びとにも訴求する力をもっているものです。

米中は軍事衝突するのか

――「アメリカ第一主義」を掲げたトランプ政権に対し、バイデン政権は国際協調を重視

するとみられます。政策面において何が変わるでしょうか。

フリードマン　バイデンに代わったからといって、劇的な変化を期待するのは誤りです。なぜならば、アメリカという国では、大統領といえどもできることは限られているからです。外交政策についていえば、オバマ政権以来、アメリカには三つの基本方針が定着しています。一つ目は中東からのアメリカ兵撤退、二つ目はロシアの封じ込め、三つ目は経済面における中国の封じ込めです。

これら三つの外交姿勢は、あのトランプでさえも忠実に守りました。バイデンも同様でしょう。バイデンの場合さらに、中東でトランプがつくり上げたイスラエルとサウジアラビア・UAE（アラブ首長国連邦）等の連合も引き継ぐことになります。つまり、トランプを乗り越えつつも、トランプの方針を守るのです。

変化があるとするならば、たとえば日本の首相と食事をするときの行儀が良くなるとか、中国に対する関税引き上げのニュアンスが柔らかくなるくらいでしょうか。大統領はキングではありません。何でも思いどおりに実行できるわけではないのです。日本の首相が国会で激しく揉（も）まれるように、アメリカの大統領もやはり議会の制約を受けます。

――米中対立はさらに深まっているようにみえます。バイデン政権以降の米中関係をどうみますか。

フリードマン　これも、さほどは変わらないと思います。アメリカは世界最大の輸入国であり、中国は世界最大の輸出国です。貿易の世界において、両国は必然的に多くの部分で交わってしまう。最大輸入国のアメリカは中国市場にアクセスしたいと考えるが、中国はそれを認めるわけにはいかないので、当然争いになる。ただ、売り手というのは、そもそも買い手よりはるかに弱い立場にあるもので、そこが中国にとって厄介(やっかい)な点なのです。つまり、中国はアメリカ市場を手放すわけにはいかない一方、アメリカ側の要求を呑(の)んで中国市場への参入を認めるわけにもいかないのです。

一九八〇年代の日米関係も同様の構図だったでしょう。日本は現在の中国のように、アメリカへの輸出に大きく依存していました。その一方、アメリカから大量の輸入品が国内に流れ込むのを認めるわけにはいかなかった。いまの中国は当時の日本と同じ立場にいるのです。その結果、九〇年代に大規模な金融危機（バブル崩壊）に陥った歴史は、もちろんあなた方のほうがよくご存じでしょう。以降、日本はなんとか経済を持ち直そうとして、低成長ながらも失業率は低く抑え、いまも辛うじて踏ん張っています。

ただし、注意する必要があるのは、日本は国家としての均一性があり、政府と国民のあいだで社会的契約が存在している点です。そのため受ける衝撃を吸収できます。しかし、中国には、政府と国民とのあいだに社会的契約などありません。ただ共産党体制が存在し、国民を取り締まるだけです。たとえば、国民が、北京ではなくシドニーやニューヨークに出かけたいと思っても、西側に近づきすぎると、共産党が厳しい処罰を加え、国民の行動を制限します。その根本的な違いを忘れてはいけません。

――中国は香港を抑圧し、その脅威は台湾や日本にも及んでいます。予想される最悪のシナリオとして、最大のランドパワー（陸上権力）である中国と海洋覇権国であるアメリカが衝突する可能性はあるでしょうか。

フリードマン　その可能性は低いでしょう。まず、アメリカから中国に戦争を仕掛けるメリットがどこにあるでしょうか。実際、中国がアメリカに抱いている恐怖は軍事面ではなく、中国の輸出力がブロックされること、つまりは経済面です。

また、アメリカは広範な同盟体制を築いていますね。日本、韓国、台湾、ときにはフィリピン、インドネシア、インド、ベトナム、オーストラリア、イギリスなどがその相手で、みな、中国を恐れています。一方、中国が同盟国といえるのはミャンマーぐらいで、あとはお金の力で、ラオス、カンボジア、パキスタンが味方につく程度です。アメリカの強力な同盟体制は、アメリカ単独による軍事力行使を思いとどまらせる作用があります。

一方で、中国側から戦争を仕掛ける可能性は否(いな)めませんが、もしも負けたときに中国人は敗北を乗り越えられないでしょう。その点、アメリカはイラク、ベトナムでの敗北をすでに乗り越えています。中国はいまこの瞬間も鉄仮面をつけており、実際よりもはるかに強くみえるように虚勢を張っています。しかし、たとえばアメリカは航空母艦を一〇隻以上保有していますが、中国はまだ三隻目を建造している段階にすぎません。

このようにさまざまな面から考察すると、中国にアメリカと戦争をする能力はありません。ただし中国は、自分たちがワールドクラスの大国だと世界に信じさせるプロパガンダに長(た)けている。その甲斐あってか、実態以上に強力な国だと認識されている気がします。

日本は安全保障上の戦略を示すべき

――地政学的に米中の狭間に立つ日本は、同盟国であるアメリカに安全保障の一部を依存しています。日本はいかなる外交・安全保障の大戦略をもつべきでしょうか。

フリードマン　アメリカと同調しながらも決して全面的には依存せず、海上交通路を確保できる軍事力をもつことです。日本は世界三位の経済大国ですが、大きな問題は、原材料のほとんどを輸入に頼っていること。国益の基本は、国の存続に不可欠である原材料へのアクセスの維持です。

第二次世界大戦以降、日本は同盟国であるアメリカに海上交通路へのアクセスを保障されてきましたが、だからといって永久にアメリカを頼るわけにはいきません。安倍晋三元首相はそのことをよく理解していた指導者でした。同時に、彼は日本が自前で軍事力をもつことに反対する声が国内で根強いことも承知しており、自立した国家になる難しさも認識していた。

国際基準でみたとき、日本が経済規模に相当する軍事的立場を有していないのは明らかです。そのアンバランスは、いますぐにでも修正する必要があります。

――日本も自衛隊を保持していますが、憲法上の制約もあってその活用には限界があります。

フリードマン　軍事的に弱く豊かな国というのは、非常に危険な立場にある。そこで戦略に基づき軍事力を築いていくことになりますが、日本の場合、自衛隊という形はあっても、その戦略がみえてきません。もし戦略があるのであれば、表に出すべきです。

北大西洋地域やマラッカ海峡における海上交通路を確保することが大切だ、それを事実として認識している。ならばどうしたいのか、それを外に向かって表明しないことには、我々にはその戦略が伝わりませんし、具体的にどう武装したらいいか、話し合うこともできません。

将来、日本の有事に際し、アメリカが日本と完全には共同歩調を取れない場合が出てくるかもしれない。そうしたときに、日本の国内からも現代の大国、バランスの取れた大国を望む声が出てくることでしょう。

――バイデン大統領による日米関係はどう展望できますか。

フリードマン　アメリカの大統領が誰であれ、日本がアメリカに海上交通路を守ってもらう必要がある以上、日本の首相は大統領と良い関係を構築する方法をみつけるべきだし、みつけられるでしょう。

日本には第二次世界大戦で敗北したトラウマがいまだにあり、それゆえに権威をもってアメリカと話ができない立場にあります。また、中国に対しても強く主張することは躊躇(ためら)いがちです。それは、いまや中国のほうが強力な軍事力を有しているからでしょう。南北朝鮮に対してさえ強く出られないでいる。日本は巨大なポテンシャルを秘めた国ではあるけれども、その可能性を内に秘めたままでいたい、と日本自身が願っている。それは世界的にみれば、非常に難しい立場です。

――では、日本はたとえば核武装まで視野に入れて自主防衛を進めるべきでしょうか。

フリードマン　日本は、核武装をするために具体的にどのような段取りが必要かについてはわかっているはずです。でも、実行に移す前には、もう一つ突破しなければならない大きな壁がある。それは、諸外国から核保有国とみなされたくない、という願いです。その姿勢を保ち続けるかぎりは、日本は核エネルギーについての専門知識や問題点を熟知しているにもかかわらず、核保有への道は他国よりもはるかに困難だといえます。

――北朝鮮はその逆で、自らが核保有国であると高らかに宣言していますね。

フリードマン　北朝鮮は、自分たちが生き延びることに最も関心をもっています。そのためには、核保有が必要不可欠な策であると考えている。では、もしも北朝鮮が他国への攻撃を目論（もくろ）んだ場合には、はたしてどうなるか。地理的に遠く、強烈な反撃を受けるだろうアメリカを攻撃することはありません。とはいえ、隣国の韓国を攻撃することも考えづらいでしょう。アメリカとは逆で、あまりにも近い存在で、余波が自国にも及ぶからです。

そう考えていくと、核ミサイルの射程内で、なおかつ軍事的に脆弱な国はどこであるか。日本は自分たちが置かれている現実を、直視しなければなりません。

Chapter 4

自由主義的覇権は幻想だった

旧西側諸国は権威主義国家に負けたのか

イワン・クラステフ氏は一流の政治学者だが、ブルガリアという決して大国とは呼べない国の出身である。だからこそ、冷静にかつ客観的に国際情勢をみることができるのだろう。アメリカ軍のアフガニスタンからの屈辱的撤退にしても、アメリカやその同盟国がそれを一〇〇%客観的に分析するのは難しい。

バイデン米大統領の欠点は、幻想と現実の区別がつかないことである。とりわけ他国を自分たちに追従させるようとする、その傲慢さが鼻につく人は多いだろう。日々変化する国際情勢を正確にフォローするのは困難だが、自由主義の限界を指摘するクラステフ氏の視座を軸にした瞬間、未来が遠くまでみえる気がするのは私だけであろうか。

Ivan Krastev

イワン・クラステフ

政治学者

Photo: IWM / Klaus Ranger & Zsolt Marton

1965年生まれ。ブルガリア出身。ソフィア大学卒業。ソフィアの「リベラル戦略センター」理事長、ウィーンの「人間科学研究所」常任フェロー。『ニューヨーク・タイムズ』紙に定期的に寄稿。著書（邦訳）に『アフター・ヨーロッパ』（岩波書店）、『コロナ・ショックは世界をどう変えるか』『模倣の罠』（いずれも中央公論新社）など。

アメリカ軍のアフガンからの屈辱的な撤退

――二〇二一年八月、アフガニスタンの首都カブールがタリバンに制圧されました。アメリカのジョー・バイデン大統領が、アメリカ軍のアフガン駐留を八月末で終了すると発表したあとのタイミングであり、その判断に批判が集まっています。アフガンを巡る一連の出来事をどうご覧になりますか。

クラステフ　これはアフガニスタンだけではなく、より広い意味で長期的な帰結をもたらす出来事だと思います。一九八〇年代末期のソ連のアフガン撤退からの数年間はカブール政府が権力を保持し、タリバンが一方的に制圧することはありませんでした。カブール政府をサポートする部族がいたからです。

一方でアメリカは、アフガニスタン紛争（二〇〇一年～）以降、カブール政府にプロの軍隊をつくりましたが、その軍隊は国への忠誠心をもっていませんでした。そして今回、アメリカ軍の撤退が明らかになると、タリバンの侵攻に対してアフガン政府軍は戦う意思をみせなかった。アフガンの三〇万人規模といわれる兵士たちは、タリバンよりも立派に武装していたにもかかわらず、瞬く間に首都の陥落を許してしまったのです。

――バイデンは、タリバンの実力や動きを読み誤ったのでしょうか。

クラステフ そうですね。バイデンはアメリカ軍のアフガンからの撤退を宣言する際、アメリカ国民に「屈辱はない」と約束しました。しかし実際は、屈辱そのものだった。一九七五年四月に起きた、南ベトナムの首都サイゴン陥落と同じです。

今回の出来事から三つのことがいえます。

一つは、一九七九年のイランアメリカ大使館人質事件後のカーター政権のように、バイデン政権の脆弱性が露わになったことです。

二つ目は、アメリカの信頼性全体に対して問題を生じさせていること。ずっと協力してきた人びとを見捨てたわけですから。

三つ目は、バイデンは外交経験が豊富なので、このような状況への備えは用意しているはずだということです。外交経験が明らかに欠如していたドナルド・トランプとはおそらく異なる様相をみせるでしょう。ただ、アメリカ軍のアフガンからの撤退を支持するアメリカ国民の声は強いとはいえ、屈辱的な撤退に帰結したことに対して、バイデン政権は少なからぬ代償を払うことになります。

――バイデンはトランプに責任を転嫁していたようにもみえます。

クラステフ　アメリカ軍撤退はトランプ前政権とタリバンとの合意に基づいているので、バイデンの発言にも一理ありますが、じつはそのことは重要ではありません。バイデンはもともと、秩序だった方法でアメリカ軍を撤退させると表明していました。トランプ政権からバイデン政権への移行にともない、当然、方針を変えることも可能でした。

ところが予想外の事態が多かったのか、タリバンの侵攻を招いてしまった。したがって、トランプに一方的に責任をなすりつけることはできません。

――バイデンは二〇二一年二月の演説で「アメリカは戻ってきた」と公言しましたが、実際はその逆で、あの言葉は「我々はアメリカに戻っていく」という希望的観測の表明であり、アメリカは衰退しつつあるように思います。

クラステフ　バイデンの発言は幻想の一部だといえます。アフガン政府軍とタリバンの軍事力を単純に比較すれば、政府軍がここまであっけなく敗北するとは予想できなかったでしょうが、政府軍の士気喪失(そうしつ)は決定的に重要な要素でした。状況の把握において最も難しいのはアクター（当事者）の動機であることを、我々はまざまざと再認識させられました。今後、アメリカの国際社会におけるプレゼンスは次第に減少するでしょう。

アメリカの脆弱性を露呈させた九・一一

——二〇〇一年のアメリカ同時多発テロから二〇二一年で二十年が経ちます。私は事件の三日後、ニューヨークまで取材に行きました。あなたは、二十一世紀の初めに起きたこのテロの意味をどう捉えていますか。

クラステフ　九・一一は、アメリカのアイデンティティを大きく変えました。現在のアメリカは国内が分断されていますが、九・一一後のアメリカはかなり団結していました。テロへの対応に政党間の違いはあまりなく、ジョージ・W・ブッシュへの国民の支持も厚かった。

ところがその後、アメリカはテロリズムを「見えない敵」であると捉え、過剰反応し、それまでの外交政策を大きく転換させます。アメリカは、これまで自分たちがつくり上げてきた世界の脆弱性から打撃を受けたといえます。九・一一が示したのは、アメリカは決してグローバリゼーションの勝者ではなかったということです。共産主義の終焉という冷戦終結の結果として生まれた世界が、じつはアメリカに攻撃を与える可能性をはらんでいたのです。

――当時のアメリカは世界唯一の超大国だったようにみえて、じつは綻びが出始めていたわけですね。

クラステフ　九・一一は逆説的にも、アメリカがもつアドバンテージのいくつかがディスアドバンテージになり始めた現実を露呈させました。アメリカの文化が世界に広がり、誰もが英語を学ぶようになったことで、別の国の人間が飛行機を借りて飛行技術を身につけ、アメリカを攻撃することが可能になってしまったのです。

アメリカは突如として世界を信用できなくなってしまった。アメリカはテロ以前までは非常にパワフルだったけれども、それまで当たり前のように慣れていたセキュリティを提供できるほどパワフルではなくなったということです。

次にアメリカを襲ったのが、二〇〇九年から二〇一〇年にかけての金融危機でした。この金融危機の後、アメリカは手を打ち始めます。トランプは「我々がつくり上げたグローバルな世界から最も恩恵を受けたのは中国だ」と叫びましたが、この発言は正しい。アメリカが経済的な覇権を握るあいだ、その経済的成功のほとんどを中国が手にしたのです。

アメリカがつくり上げてきた世界で、そのアメリカが敗者になっているという見方が徐々に現実味を帯びていきます。そして奇しくも、九・一一のころに始まったアメリカの脆弱化が、今日のアメリカ軍のアフガンからの撤退によってクライマックスを迎えたのです。

自由主義的覇権の危機

——あなたは著書“The Light that Failed”（邦訳『模倣の罠』中央公論新社）で、冷戦後の国際秩序における自由主義の没落について述べています。本書で述べている「模倣の時代」とは何でしょうか。

クラステフ　「模倣の時代」の背景には、冷戦の終結があります。冷戦は、第二次世界大戦のような軍事力による終わり方とは異なり、一方の超大国のリーダーによる、共産主義イデオロギーの機能不全を認めるという形で幕を閉じます。その結果、突如として自由主義が覇者の座についた。この先、世界は自由主義の方向へ向かうだろうと予想されました。

もちろん民主化の度合いは国によってさまざまですから、すべての国が同じように自由主義に向かうとは限らないのですが、冷戦後にある国が近代化したければ、アメリカでみられるような生活様式や制度を模倣するべきとする考えが広がりました。これが「模倣の時代」の始まりです。

この考えはとくに中欧や東欧では根強かった。模倣は強制ではなく、他国を植民地化する形態ではありません。あくまでもモデルとなる国のようになりたいという自発的な動きです。

ところが、世界中の国々が欧米のような自由主義国になるという期待とは裏腹に、現実は異なる世界になりました。我々はいま、中国やロシアを筆頭とした反西洋の独裁体制の台頭を目の当たりにしています。中東欧でも、自由主義モデルへの反発が起きています。

私が関心を抱いたのは、ロシアや中国よりも、「模倣の罠」に陥っている中東欧の状況です。フランスの文芸評論家ルネ・ジラールは「模倣は調和のとれた関係ではなく、非常に非対称的なもの」という言葉を残しました。もし私があなたのようになりたければ、まずあなたが私よりも優れていることを認識します。すると、問題は私のどこが悪いのか、ということになる。次には、私がやることに対して、あなたが始終、評価を下すようになり、私は自分がどの程度優れているかを絶えず聞いて確認するようになります。

こうした主観性の欠如を、ポピュリストは巧みに利用しました。彼らは「我々はドイツ人みたいになりたくない、アメリカ人みたいになりたくない。ありのままの自分でありたい」と主張し、国民の怒りを煽動した。これが移民排斥主義を醸成し、イデオロギー的言語とメッセージを提供したのです。

――そうすると、欧米が標榜した自由・民主主義の価値観に基づく秩序は失敗だったということでしょうか。

クラステフ　フランシス・フクヤマが「歴史の終わり」について語ったとき、「民主主義的資本主義は近代化の別名である」と定義したことは正しかったでしょう。自由・民主主義体制の世界への普及が停滞しているからといって、自由主義そのものが存続の危機にあるわけではありません。

すなわち、危ぶまれているのは自由主義的覇権の存続です。自由主義が消えるとか、自由についてどうでもいいと思うことを意味するわけではない。ただ、世の中にはさまざまな政治モデルが存在し、誰もが関心をもつような一つの支配的なモデルはないという現実を示しているだけなのです。

パンデミックで人びとの死に対する意識が変化した

――感染症以外にも、危機には戦争や天災、テロなど、さまざまなものがありますが、他の危機と比較して、パンデミックが特筆すべき点は何ですか。

クラステフ　三つあります。一つ目は、危機が世界中でほぼ同時に起きたことです。地球の裏側で起こったことが、突如として自分の日常を揺るがし、外出もままならなくなったのです。こうして、パンデミックが突然、脱グローバリゼーションの媒体になりました。我々は、自分たちから遠く離れたものにどれほど依存していて、本当に必要なときにいかに手に入りにくいかに気づきました。

他方で、新型コロナの危機は、我々が共通の世界に生きている事実を突きつけています。私はパンデミックが始まったころ、人里離れたブルガリアの村に滞在していましたが、普段は世界で起きている出来事に関心をもたない人たちが突然、世界の感染状況や政策について比較し始めたのです。これは「心のグローバリゼーション」だといえます。政治・経済面では脱グローバリゼーションが進んだ半面、精神面ではグローバリゼーションが進展しました。

二つ目は西洋文化においてとくにいえますが、人びとの死に対する認識が変化したことです。死に対する恐怖はもともと個人的なものであり、パンデミック以前は口に出して話すことはほとんどありませんでした。しかし、新型コロナの危機を契機として、そうした意識は変わりました。

三つ目は、デモグラフィ（人口統計学的属性）における教訓です。ワクチンの接種が年齢に応じて振り分けられたこともあり、我々は自分が何歳であるのかを気にするようになりました。さらに、自分が身を置く社会には、八十歳以上の人がどれだけいて、どこに住み、どんな生活をしているのか、といった「社会の年齢」にも関心が向くようになったのです。

この視点からみると、パンデミックは衝撃的なモーメントです。とくに衝撃を受けたのは、人口減少社会である日本や韓国、さらには東欧社会で、こうした国々では、世代間で人口の不均衡が著しいため、今後世代が変わるたびに人口が大きく減少していくことになるでしょう。

二〇一〇年ごろから起きたユーロ危機は、ヨーロッパを富める北と貧しい南に分断しました。その後の移民危機は東と西に分けた。そして今回のパンデミックは世代間、つまり若者と高齢者を分断したのです。若者は高齢者のように命の危険は感じることがない一方で、生活面では大きな打撃を受けました。

医薬品は近郊で生産してほしいと欧州人は考えている

――パンデミックの収束後、世界が元のグローバリゼーションに戻ることはないのでしょうか。

クラステフ　戻らないと思います。ただし、前提として伝えておかないとフェアではないので申し上げますが、グローバリゼーションが人類に恩恵をもたらしているのは間違いありません。

今回の危機で欠陥が指摘されたグローバル・サプライチェーンも、実際は多くの人が予想したよりもうまく機能しました。ワクチンの確保においても同様です。人びとは旅行をやめ、ブルガリアでは村から村への移動もストップしましたが、モノは一つの大陸から別の大陸へと移動しました。

しかし私が強く思うのは、いまや世界中の人びとが、自分たちのコントロールが及ばないものに依存しすぎることを危惧し始めたということです。食料や製品にしても、もっと自国の近くで生産すべきではないでしょうか。今後は、サプライチェーンの見直しも進むことでしょう。

ヨーロッパの人びとは、たとえば重要な医薬品は値段が多少高くても、ヨーロッパ近辺で生産してほしいと考えます。中国でも日本でもロシアでも、同じように考える人は少なくないでしょう。これまで経済的相互依存は安定の源と考えられていましたが、それが不安定の源としてもみなされるようになっている。完全に脱グローバリゼーションになるわけではありませんが、元のグローバリゼーションには戻らないはずです。

また、米中間のデカップリングも、グローバリゼーションが元に戻らない理由の一つです。デカップリングは、二国間の経済や市場が連動していない状態を指します。たとえアメリカ経済が停滞しても、中国の経済は成長する。その逆もまた然り（しか）りです。

もしあなたがテクノロジー分野の企業で働くならば、アメリカのテクノロジー分野と中国のテクノロジー分野のどちらで仕事をするのか選択しなければなりません。グローバルなテクノロジー市場があると信じることはもはや不可能です。

存在感が増すミドルパワー

――新型コロナによるパンデミックは、自由主義がつくり出した世界秩序を変えてしまう可能性があるのでしょうか。

クラステフ　先に述べたこととも関連しますが、じつは自由主義がつくり出した世界秩序はもはや存在しません。かつてのアメリカとソ連のような巨大な陣営が出てきて、世界を二分するとは考えにくいのです。たしかに、いまはアメリカと中国の軋轢（あつれき）が世界を分断しています。

しかし、これは冷戦時代にみられた典型的な分断の構図とは異なります。その理由として、経済的な繋がりが挙げられます。冷戦時代のアメリカとソ連は別々の経済圏に所属していて、両国のあいだには経済的な繋がりがありませんでしたが、それは現在のアメリカと中国に完全には当てはまりません。

また今後十年で起こることが予想されるのは、トルコ、ロシア、インド、日本、ＥＵ（欧州連合）といったミドルパワー国家の活動の活発化です。新型コロナだけでなく、自然災害や軍事的緊張などでグローバルな秩序が脅かされている時代において、どの国も自国の居場所をみつけようと試みています。アメリカと中国の対立は世界に影響を及ぼしはしますが、かつてみられたような陣営をつくることはないでしょう。

しかも、他の国々もそれぞれの地域で優位に立とうと、さまざまな利点を生かしてくるでしょう。冷戦時代のような構図にはならないのです。

――ミドルパワーは今後、たとえばどのような行動をとると予想されますか。

クラステフ　トルコとロシアの場合は、積極的な軍事活動が多くなるでしょう。ドイツの場合、すでに輸出政策を見直しはじめ、アメリカから安全保障を取りつけつつ、中国でのマーケットシェアを広げるという、絶妙な舵取りを試みています。南アジア諸国も同様で、アメリカから安全保障を得ても、主な経済上のパートナーは中国というジレンマに立たされます。私の見方では、アメリカと中国が世界秩序を形成するというよりも、地域大国の活発な行動に両国が対応する場面のほうが多くなると考えられます。

EUの多様性はリスクとなるか

――今回のパンデミックの対応では、自由民主的な体制より専制体制のほうがメリットがあるといわれていますが、その要因は何だと思われますか。

クラステフ　専制体制のほうがうまくいっていることを実証するデータはありませんし、政治体制は一般に考えられているほど、たいした要因にはなりません。それよりも、その国家がもつ弱点、国家としての信頼度のほうが重要です。指導者の力量や医療制度に対する国民の信頼があるかどうかです。

その点、韓国やオーストラリア、ニュージーランド、デンマークなどはうまくいっているといえますし、中国にしてもそうですが、ロシアの場合は死者数が格段に多いこともあり、うまくいっているとはいえません。

また、ある時期、コロナ対策の優等生とたたえられた国が、半年後には評価がひっくり返ることもあるわけですから、すべて終わってみないことには、誰が勝者かをいうことはできません。つまり国家の体制だけでは判断できないのです。

――これまで相互依存とグローバリゼーションを推進してきたEUの理念は衰退したといえるでしょうか。

クラステフ　それは興味深いオープン・クエスチョン（まだ答えがない質問）です。EUはパンデミックが始まったころの復興基金が象徴するように、一つのレベルでは団結が強化されました。しかし、ハンガリーやポーランドなど東欧諸国とのあいだで緊張がみられるなど、一枚岩というわけではありません。

ヨーロッパのほとんどの国は小国なので、自国だけで地政学的なプレイヤーになることはできません。ドイツやフランスでさえも、あと十年以内には、人口からいえば大国とはいえなくなる。この視点からみると、ヨーロッパがとるべき道は一つしかないように思われます。典型的なナショナリストですら、自国が世界にとって重要な国ではなくなる状態に滑り落ちないための手段として、EUが必要であると認識しているでしょう。

他方で、今回のパンデミックを経て、ヨーロッパの制度に対する信頼度は増しませんでした。にもかかわらず、ワクチン接種には期待した以上に積極的だった。いまヨーロッパ諸国は、ほとんどの国で、アメリカよりもワクチン接種率が高いですね。

ただ、人は危機に直面すると、自分が熟知しているものに頼りたがります。母国語といった自らが慣れている環境に触れていると、文化的な安心感を得られるものです。そう考えれば、EUの多様性はリスクや脅威とみなされる可能性もあります。

我々がいまは理解できていないロジックが将来受け入れられたならば、パンデミックを乗りこえた先にはより強固なEUが形成されるかもしれないし、はたまた危機に対する恐怖が国民国家の方向への揺り戻しとして働けば、より崩壊の道へと進んでいくかもしれません。

――アメリカと中国の関係が悪化するなか、ヨーロッパの国々は中国の台頭をどうみているのでしょう。

クラステフ　かつての米ソ対立のなかで、日本がソ連をみるような感じだと思います。中国の国内政治をみていると、強い反発を覚えることも多く、ヨーロッパ諸国にとってはアメリカのほうがずっと親近感があります。

ただ、ソ連のときとちがって、中国は地理的に遠いため、対立の舞台からヨーロッパは外れているといえます。また、中国にしたら、交渉を自分たちに有利に進めたいだけで、世界を中国化したいわけではない。ヨーロッパとは国境も接していませんし、その点、冷戦時にソ連に対して抱いたような恐怖や、一部のアジアの国々が中国に抱くような恐怖は感じません。

また、ヨーロッパは、中国と大国外交をする立場にないため、アメリカが抱くような恐怖とも無縁です。ただ、欧米のテクノロジー企業に潜入したり、中国のやり方に口出しさせないよう経済的圧力をかけてきたりするあたりには恐怖を感じます。中国が、経済制裁などアメリカ式の政策の模倣を繰り返すなら、近いうちにかつてのソ連のような存在にならないとも限りません。

米中対立が沈静化することはない

――コロナ後の国際秩序を展望したとき、米中対立はどのような様相をみせると考えていますか。

クラステフ　両国の対立が近い将来に収まることはないでしょう。中国が引き下がることはないからです。いまアメリカに譲歩すれば、中国が弱い国であると自国民に捉えられてしまい、国内政治が危うくなります。元ＮＡＴＯ欧州連合軍最高司令官のジェイムズ・スタヴリディスが、将来起こるかもしれない米中核戦争を描いた"2034 : A Novel of the Next World War"（未邦訳）という小説がありますが、この内容が現実にならないことを望みます。

ただし、先ほども述べたように、現在は冷戦期よりもミドルパワーの存在感が増していますから、米中関係はより複雑化しています。また、アメリカとヨーロッパ諸国との関係にも変化がみられます。トランプ政権の誕生後、ヨーロッパ諸国はアメリカのヨーロッパ政策が、大統領によって簡単に変わることを思い知らされました。同盟関係の基盤となる信頼性と予測可能性が揺らいでいるのです。そんなアメリカに代わって影響力を広げようとしているのが中国です。

アメリカと中国の違いは、両国の世界の捉え方にも表れています。アメリカは、世界中から集まる人びとをアメリカ人に仕立ててきた経験から、世界に対しても変えようというスタンスで臨みます。その点、中国はチャイナタウンに象徴されるように、自分たちだけでまとまっていて、外の世界を利用はしても、変えようとはしない。アメリカとは違い、他国を自分たちに追従させる気はないのです。

もっとも、中国はその強引さゆえに、すでにアフリカなどで反発もみられます。台頭する中国への危機感を募らせるアメリカと、国内を治めるために強さを示そうとする中国、両者の言い分がかみ合うことがない以上、その対立が沈静化することはないでしょう。

――アメリカやヨーロッパ諸国が標榜する自由主義的な秩序は幻想であり、かといって中国は国際社会からの信頼を得られていない。すると、今後どのような勢力が伸張してくるでしょうか。

クラステフ　今後大きな変化がみられるのは、国家同士の関係よりむしろ、身近な社会のなかでしょう。気候変動が原因となる自然災害やデモグラフィの問題など、国家間の問題ではなく、我々の社会のなかで起きている変化に注目が集まるのです。今後は地域の現状に則した調整が進むため、世界秩序よりも地域秩序が大きく変化し、多元的な世界が訪れるでしょう。

――日本は米中対立の狭間（はざま）に位置し、厳しい局面に直面しています。日本が行なうべき政策は何だとお考えですか。

クラステフ　旧来的な対立であれば、日本は絶大な経済力とその影響力を武器に、非軍事的なプレイヤーでも生きていくことができました。しかし今後想定される舞台はアジアであり、日本があらゆる場面で自前で対処できるよう、政策面で軍事化しても私は驚きません。国内の憲法上の制約があるといわれますが、いまや戦争の定義が相当変わっています。現代のサイバー戦争や経済戦争の観点からみれば、昔の戦争観にとらわれていてはいけないでしょう。

また日本はヨーロッパ同様、少子高齢化というデモグラフィの問題に直面していますが、移民の受け入れに寛容ではありませんね。デモグラフィの問題は社会の価値体系を変化させます。将来何が起きても対応できるように、日本だけではなくどの国も準備を整えなければなりません。

Chapter 5

パンデミックが加速させた米欧の分断

経済、文化、政治それぞれでの違いが表面化している

アダム・トゥーズ氏の専門は経済学であるが、コロンビア大学では歴史学部に属する教授である。つまり歴史一般ではなく、経済面からみた歴史に造詣（ぞうけい）が深い。まさに歴史学で使う手法を使い、過去に起きたことから現在を分析する方法に長（た）けている。パンデミックが起きたことは、トゥーズ氏にとって「僥倖（ぎょうこう）」といえるかもしれない。これほどの地球レベルの規模で「実験」できたということは、サイエンスに必要な多くのエビデンスを集められたことを意味するからだ。

その一つがＭＭＴ（現代貨幣理論）である。かつて経済学者のポール・クルーグマン氏が「自国通貨を発行できる政府は、国の借金のことをあまり考える必要がない」と述べていたが、まさに今回それが試されたのである。

Adam Tooze

アダム・トゥーズ

歴史学者

1967年、ロンドン生まれ。89年、ケンブリッジ大学キングス・カレッジで経済学の学士号取得。ベルリンで冷戦の崩壊を目撃し、同地の大学院で研究を開始。ロンドン・スクール・オブ・エコノミクスで博士号取得。96年より、ケンブリッジ大学、イェール大学のバートン・M・ビッグス教授（同大学で国際安全保障研究所所長も兼務）を経て、2015年からコロンビア大学歴史学教授。著書"The Wages of Destruction"は、ウォルフソン・ヒストリー・プライズを受賞。邦訳書に『ナチス破壊の経済　上・下』『暴落　上・下』（いずれもみすず書房）。

経済回復には金融政策に加え、大規模な財政政策が必要

――新型コロナウイルス感染症のパンデミックによってグローバル経済は大きな打撃を受けました。二〇〇八年に起きた金融危機（リーマン・ショック）から我々が学んだ教訓のなかで、今回の対応に活かされたことはありますか。

トゥーズ　経済危機の余波が訪れた場合には、活発な中央銀行による介入、金融機関に対する規制強化、そして金融政策と財政政策の組み合わせという三つの対策が必要だということです。

まず世界的な経済不況が起きた際には、金融システムのリスクの増大を防ぐために、中央銀行の介入が必須です。二〇二〇年三月には新型コロナの影響で、世界で最も重要な市場であるアメリカ証券市場が機能不全に陥る可能性がありました。アメリカ市場の影響がユーロ圏にまで拡大する可能性が高まり、パンデミックが与える経済的な影響が警戒レベルに達したのです。

それを受け、各国では中央銀行の市場介入が検討され始めます。欧州中央銀行（ＥＣＢ）は当初、市場介入へ躊躇（ちゅうちょ）する様子をみせましたが、一方でアメリカでは、すぐさま大規模な介入を進めます。このような中央銀行によるアクションの差が市場にどのような結果をもたらしたかを歴史から学び、活かさなければならないのです。

二〇〇八年のリーマン・ショック直後には、アメリカは金融機関に対する規制を強化しました。経済不況の波に備え、銀行は十分な資本を保有している必要があったためです。今回のコロナ禍においてもアメリカは早々に規制を強化していたおかげで、幸いにも大きな金融危機には直面しませんでした。

しかし、リーマン・ショック後の経済をみていくなかで、金融政策は非常に大きな影響をもたらす半面、限界があることもわかりました。金融政策は、金利を下げることによって金融危機を防ぐ効果はあるものの、最終的に経済を回復させるためには、大規模な財政出動が行なわれなければなりません。これも今回のコロナ禍で目の当たりにした事実です。

――二〇一八年に上梓された著書"Crashed"（邦訳『暴落 上・下』みすず書房）では、歴史家の目線からさまざまな金融危機を分析されていますが、その手法は最近出された著書

“Shutdown:How Covid Shook the World's Economy”（未邦訳）のなかでも用いられていますね。

トゥーズ　二〇二一年九月に上梓した本書はまさに、前著のなかで構築した枠組みが、はたして別のタイプの出来事にも通用するのか、という問いへの答えといえます。

前著では、北大西洋エリアにおける政治、経済、地政学の関係、そして中国との関係を理解するための枠組みを構築しましたが、本書は、いわばその続きの章のようなものです。ちょうど経済モデルを検証するときの手法と同じで、まずデータの三分の二だけ使ってモデルを構築し、そのモデルが残りの三分の一にも適用できるかあてはめてみる。いわばサンプルテストをしたといえます。

当たり前のことですが、前著を書いた当時、二〇二〇年に何が起こるかなど知るよしもなく、はたして前著で提示したモデルが今回のパンデミックにも通用するのか興味津々でした。そしてざっくりみた感じでは、前著の枠組みは、とくに金融財政政策、地政学に関しては、ほぼ通用するといっていいでしょう。

現代貨幣理論の正しさと限界

——ノーベル経済学賞の受賞者であるポール・クルーグマン氏は、パンデミックによる景気後退を「人工的な昏睡状態」と表現しました。つまり、世界中のあちこちで人工的に経済活動を停止させたことは、一種の〝経済実験〟に着手できたというわけですが……。

トゥーズ　まったくそのとおりだと思います。今回のパンデミックがなければ、先ほどのモデルの実証実験もできなかったでしょう。

忘れもしません。二〇二〇年三月、四月には、世界中の誰もがどこにも行かず、自宅にいました。その様子をみて、私は世界経済が崩壊するのではないかという奇妙な感じを覚えました。自転車が進み続けていないと倒れてしまうのと同じです。世界のGDPは同年四月の二週目までに二〇％縮小しています。これは前代未聞です。

世界中の経済の動きや循環が完全に凍結するというこんな実験はパンデミックが起きないとできません。

また、今回のパンデミックはMMT（現代貨幣理論）を検証できる絶好の機会でもありました。

――MMTの代表的な主張をまとめると、①自国通貨を発行できる政府は財政赤字を拡大しても債務不履行になることはない、②財政赤字でも国はインフレが起きない範囲で支出を行なうべき、③税は財源ではなく通貨を流通させる仕組みである、というものですね。

トゥーズ　このMMTの基本的な分析は間違っていないとわかりました。いい換えれば、財政支出のための資金創出は、実際には問題ではないと判明したのです。なぜなら、自国の紙幣を発行できる主権国家には制限がないためです。

しかしMMTの皮肉は、だからといって湯水のように紙幣を発行し続けることなどできないということです。可能だからといって、なんでもできるわけではない。MMT提唱者もこの事実を認識しています。つまり、支払える、支払えないといった議論は、あくまでも、必要な支払いを実行するためのテクニカルな手段を所持しているか、トータルで合意できるものかどうか、といった本来の議論とすりかえられているだけなのです。

これは家族旅行に喩えるとわかりやすいです。たとえば、子どもが旅行に行きたいと思っていても親が行きたくない場合、親は旅行に行くお金があっても「旅行に行く余裕（予算）がない」と子どもにいいますね。同様に、国家は資金をもっていても、政策を実行しないための断り文句として「予算がない」といっているにすぎません。

つまり、「予算がない」という表現は「実行しません」を表す比較的丁寧な、婉曲的な言い方なのです。つまり、MMTについていえるのは、財政支出のための資金創出は可能ではあっても、合意やテクニカルな面で限界があるということなのです。

ワクチン配布における政治の大失態

――あなたは二〇二一年九月一日付の『ニューヨーク・タイムズ』紙に、このパンデミックは、trial run（試運転）であるという論説を発表していますね。

トゥーズ　パンデミックが起きたことで、疫学者やウイルス学者たちが繰り返していた提言が事実だったと判明しました。彼らは五十年も前から「世界的パンデミックの発生に備えよ」といい続けてきたのです。このパンデミックを「試運転」と表現したのは、パンデミックは今回のもので終わりではないからです。しかも、まだこのパンデミックも終わっていない。今後より悪質なウイルスが出現したときにどう対処すべきかを、いまのパンデミックのあいだに真剣に考えないといけない、という意味です。

——コロナ禍では各国の政府があらゆる政策を講じたものの、貧富の格差や分断をより大きくしたという指摘もあります。コロナ政策の問題点があれば教えてください。

トゥーズ　もちろん、給付金の配布といった大規模な財政出動が世界中の人びとを救ったのは確かです。各国の国内で財政出動が行なわれ、アメリカが大量のドルを放出したために、コロナ禍において多くの学者が懸念していた、低所得層や新興市場のなかでの金融危機は起きませんでした。裕福な国でみると、アメリカでは失業が急増したにもかかわらず、貧困は減少しています。それは政府が「現金のばらまき」を行ない、貧困層が通常よりも多くの資金を手にできたためです。

その一方で、この金融政策の介入により、アメリカ株価は大きく上昇することになりました。アメリカの株主資本の八〇％を所有するのは人口のたった一〇％の人たちです。ですから、量的緩和の波及効果が株式市場に流れ込み、彼らの純資産が大幅に増加したのです。たしかに貧困層も資金を手にしたかもしれませんが、（個人資産一〇億通貨単位以上の）ビリオネアーはさらにビリオネアーになっているのです。

――パンデミックをきっかけに経済面、金融面以外では、どういったところにマイナスの影響が出ていますか。

トゥーズ　アメリカやヨーロッパの場合、政治危機にも油を注ぐことになりました。欧米の社会や政治が抱える困難、すなわち利害の異なる社会集団それぞれの要求が食い違った場合、仲裁する制度が整っていないという現実を露呈させたのです。グループ間の不均衡が最も顕著な形で表れたのが若者と高齢者で、両者のあいだではコロナによって受けるリスクが大きく異なります。

しかし、情けないことに、それぞれの負担の応分を決めるためのレトリックも言語も政策も存在しない。ロックダウンをめぐる問題でも、どの程度までロックダウンするか、どういったリスクを誰が負うのか、仲裁する場が用意されていないのです。
さらに技術的なレベルの例では、ワクチンの話があります。ワクチン開発は人間の精神がもたらした偉大な勝利です、しかし、そのワクチンを全世界に平等かつ迅速に配分する段に至って、政治は大失態を演じています。ワクチンを世界中にゆきわたらせるため、製薬企業に働きかける方法はいくらでもあるのに、何もしない。プランもポリシーもない。じつにやり切れない思いです。

——ところで、多くの専門家は、ドナルド・トランプの大統領選の敗因にパンデミック対策をあげています。仮にパンデミックがなければ、トランプ前大統領が圧勝していたという専門家もいます。あなたはどのように分析していますか。

トゥーズ　あれだけのスピードでアメリカがワクチン開発に成功できたのは、トランプ政権の功績です。バイデン政権がトランプ政権の政策を引き継いだことは、信じられないほどの幸運だったといえる。もちろん、引き継いだのはワクチンだけではなく、トランプが引き起こしたパニックも同様で、トランプ政権下だった二〇二〇～二一年の冬、アメリカ最多の死亡者数を記録したことを事実として受け止めるべきですが、だからこそワクチンのいち早い開発が望まれたわけです。

しかし、「リベラル国家」であるアメリカでは、ワクチン開発を、ポピュリストであるトランプの手柄としないほうが都合がよかった。誤解のないようにいわせてもらいますと、たとえバイデンが大統領でもワクチンは開発されていたでしょうし、トランプと同様、ワクチン問題に惜しみなく資金を投じていたと思います。ただ、ファイザーやモデルナなどが開発したワクチンが、トランプの「ワープ・スピード政策」によって資金援助を受け、成功したことは歴史的に明白だといえるでしょう。

分断に向かうアメリカと欧州経済

――『暴落』のなかで、二〇〇八年の金融危機は終わったわけではなく、二〇一三年から一七年のあいだに形を変えて表れていると述べていますね。

トゥーズ　個人の記憶と同様、過去に起こったことというのは社会が記憶していて、マルセル・プルーストの小説ではないですが、二十年前の出来事が突然大きな意味をもってくることがあります。つまり、先へ進めば遠い過去のことは意味を失うかといえばそんなことはない。

たとえば、ジェローム・パウエルFRB（連邦準備制度理事会）議長の再任に民主党のエリザベス・ウォーレン議員が反対していたのも、パウエル議長が金融規制に消極的なことが理由です。ウォーレンがそこまで金融機関の規制にこだわる背景には、自身が二〇〇八年の金融危機後の対応にあたった経緯があります。つまり過去の記憶というのは、現在の判断に影響するのです。

もちろん、人びとの主要な関心事は時間とともに移り変わり、今日、ビジネス議題の中心はテクノロジーです。最近のゴールドマンサックスの金融規制より、FacebookのザッカーバーグCEOの動向に注目が集まるように、二〇〇八年の記憶は残っても、関心の対象は置き換わっていきます。

――時を遡（さかのぼ）ると、二〇〇八年の金融危機は、世界に何をもたらしたのでしょうか。

トゥーズ　以前から存在していた欧州とアメリカの分断をさらに悪化させたといえるでしょう。両者の調和がみられたのは、一九九〇年代後半が最後です。イギリスのトニー・ブレア首相やドイツのゲアハルト・シュレーダー首相、アメリカのビル・クリントン大統領の時代で、多少関係がごたつくことはあっても、共通の土台のようなものがありました。しかし、二〇〇〇年代の初期からイラク戦争がはじまり、リーマン・ショックや欧州債務危機、ウクライナ危機が重なり、緊張が高まったのです。

世界のなかで気候変動のような問題がさらに重要性を増すと、欧州とアメリカの違いはますます目につくようになりました。両者には文化的、政治的な面で大きな違いがあることが表面化している。私はアメリカに住み、教鞭をとっていますが、生まれ育ったのは欧州（イギリス）で、私の人格は欧州の文化をもとに形成されています。その私からみると、現在のアメリカは非常に奇妙に分裂していて、おそろしいほど不安定な国に映りますね。

パンデミックは両者の分断をより加速させました。物質的な関わり合いの部分でも、お互い、相手に頼らずともやっていけることがわかったのです。それにバイデン政権が行なっている政策は、オバマ政権の継続だと思います。それは外交政策の基軸を欧州や北大西洋から離し、アジアに置くという内容です。

ヨーロッパ経済の回復はスピード感に欠ける

――あなたは、欧州で開始された五〇〇〇億ユーロ規模の復興プログラムによって、国家同士の新しい協力の局面がみえたと指摘していますね。現在の欧州経済をどのようにご覧になっていますか。

トゥーズ　まず欧州経済について語るとき、経済政策の異なるベクトルを考えることが重要です。

一つ目の視点は、欧州全体に経済の安定を施すための視点で、具体的には欧州中央銀行（ECB）による国債の買い取り政策です。これで金融市場は安定しました。

二つ目の視点は、差し迫った危機対応の視点からみることです。ロックダウン中の自宅待機の人や一時解雇された人をサポートすることが、最も重要な経済政策でした。この国家レベルの経済政策は、ECBのサポートによって可能になったのです。

二〇二〇年の夏には、欧州各国は国家レベルの経済政策を補完する、EUレベルの長期投資計画、いわゆる復興プログラムの合意に至ります。向こう五年間、各国の財務状況に関係なくデジタルや環境対策分野で資金援助するというものですが、難点は共同プログラムだけに手続きが煩雑で、時間がかかる点です。EU加盟国すべての合意が必要とされるものが多いこともあり、実際に始動したのは二〇二一年五月から六月にかけてで、合意から一年近くがたっていました。

このプログラムは、ヨーロッパ経済に直ちに影響はしないものの、長期的にみればとくに東欧諸国やイタリア、スペインといった国にとって投資面で大きな意味をもったプログラムといえます。今後のヨーロッパ政治はどこへ向かうのか、その可能性を示すとともに、心理面でも、ヨーロッパ市場の生き残りへの懸念を払拭するのに一役買うことでしょう。

――ヨーロッパ経済は回復に向かっているといえるでしょうか。

トゥーズ　回復してきていますが、そのスピードはアメリカと比べると緩やかです。GDPも、国によっては世界で最も深刻なレベルにまで落ち込んでいます。社会の混乱はアメリカほどではないものの、パンデミック対応への不手際という点ではアメリカと同レベルといえます。一〇〇万人あたりの死者数も、イタリアやスペイン、イギリスに関しては、アメリカと変わらないぐらい高いですし、公衆衛生政策の失敗によるトラウマは深刻です。
また、GDPの回復はアメリカより遅れています。たしかにインフラ計画については、いまのところアメリカよりは力を入れているかもしれませんが、経済政策全般では、アメリカと比べると額が小さく控えめで、スピード感に欠ける印象です。

――金融危機に対して経済的、政治的、地政学的な対応をするには、「世界が変わりつつある事実を認識しなければならない」とあなたは述べていますね。

トゥーズ　二〇〇八年の金融危機では、人類がグローバルに繋がっているという事実を証明しました。我々はとてつもなく密接に関与し合っているため、互いの国で起きている状況を知り、自国における影響に鑑(かんが)みたうえで対策を立てる必要があります。自国を守るためには他国に生じている変化を機敏に認識していなければならないのです。
しかし、世界には依然として、極度にヒエラルキー的な部分が残っています。ほかに比べて重要な地域というのがあり、お互いに平等な相互作用を与えているわけではありません。

アメリカや中国、ロシアといった特定のプレイヤーがほかのプレイヤーに劇的に影響を与えています。

たとえば、アメリカが金融政策を決定する際、ブラジルを念頭に置くことはないでしょう。ただし、ブラジルで大きな金融危機が起きれば、ＦＲＢにとって懸念材料になることは疑いの余地はありません。中国が深刻な金融危機に陥ることにでもなれば、なおさらです。

さらにコロナ禍では、そうした影響がこれまで以上にはっきりした形で表れ、アフリカの感染者やラテンアメリカの感染者もアメリカにとって懸念材料になるとわかりました。変異株などをもった隣国の感染者が自国に入国すれば、ふたたび感染爆発が起き、経済が停止する可能性があるためです。自国の政策だけで国を守ることができるという、大国の誤った考え方を是正しなければならない時代がきているのです。

中国がアメリカとの軍事競争から引き下がることはない

――アメリカの経済学者であるポール・クルーグマンは、「中国の人口統計は著しく日本のようになってきた。一方で中国は、バブル時期の日本のように、個人消費が弱いにもかかわらず異常に投資が活発というかなりアンバランスな経済である」とコラムで書いています。あなたは中国のバブルが崩壊するシナリオをどのように見立てていますか。

トゥーズ　中国のバブルが崩壊する可能性は十分あります。多くのリベラルなアメリカ人はそれを願っていますが（笑）、崩壊の形にはいろいろな可能性があります。もちろん金融危機の場合もありますし、人口減少の形で現れる可能性もあるでしょう。また労働の質の低下や教育上の欠点が原因になる可能性もあるでしょう。あるいは、抑圧的な政権による私有財産権の侵害が崩壊を招くのかもしれません。

原因が何にせよ、もし中国が屈辱的な挫折を味わうことになった場合、中国が取る次の一手で、さらに米中の軍事関係が悪化しないともかぎりません。仮に現在、アメリカが課している貿易関税・制裁はそのままで、中国の経済成長がひどく停滞したとすると、中国の政治的なリアクションが友好的なものになるはずがなく、注意が必要になります。中国が軍事的野望を捨て、軍事競争から引き下がることはまずないでしょう。

両国の対ＧＤＰ比での防衛費を比べてみると、中国はアメリカほど費やしていませんが、それでもその額はアメリカ人を恐怖に陥れるに十分なものです。かつてソ連が、ＧＤＰ比でアメリカの割合をはるかに上回る額を防衛費に投じていたのとは対照的です。つまり、仮に今後中国が、アメリカと同等程度のGDP比か、それ以上まで防衛費を増やせば大変な額となり、最終的に両国の戦いがどのような結末を迎えるか誰にもわかりません。

――一九七〇年以降、中国はアメリカにとって地政学の要(かなめ)だったとありますが、それはなぜでしょうか。

トゥーズ　それはリチャード・ニクソンとヘンリー・キッシンジャーと中国の関係であるともいえます。アメリカは七〇年代の初めにグローバルマップを「再設定」しますが、これが、ニクソンとキッシンジャーと中国政府が行なったすべての政策の基盤になっています。

当時の中国は、貧しい弱小国でした。文化大革命の恐怖から解放されたばかりで、国内的にも分裂していました。しかし中国がソ連から離れることは、冷戦の流れをグローバルに変えるために非常に重要なものでした。また、アメリカは大きなダメージを受けたベトナム戦争の後始末をする必要があり、中国が地政学上の要となったのです。

欧州からすれば、アメリカの戦略がアジアに向くことはショッキングな出来事でしょう。

しかし、アメリカが太平洋に目を移したとしても、それはアメリカがいっさい中央アメリカや中東に関わらない、あるいはNATO（北大西洋条約機構）に精力を注がないという意味ではありません。しかし、より大規模な戦略の視点からみると、この地域には未解決の課題も多く残っており、今後は中国をはじめとしたアジアが重要な地域になることは間違いありません。

――日本では、二〇二一年十月に岸田文雄新政権が誕生しましたが、新政権が取り組むべき課題は何だとお考えですか。

トゥーズ　エネルギー政策です。日本は昨年、ネットゼロ（温室効果ガスの排出が実質ゼロ）を宣言しましたが、それは素晴らしいニュースです。しかし相変わらず石炭への依存度が高い。原子力発電を使わないように心がけるのは結構ですが、一貫した、建設的な、再生可能エネルギー政策を打ち立てなければなりません。

日本は、国民に文明化された高い生活水準を提供できる裕福な国にもかかわらず、サステイナブルな経済モデルになっていません。石炭依存を脱し、循環型の経済に移行できるか否かが日本の未来を左右するでしょう。

経済の未来を担う者たち

――画期的な経済政策を行なっている国のリーダーや、国際機関の人物は誰でしょうか。

トゥーズ　第一六代FRB（米連邦準備制度理事会）議長のジェローム・パウエルは、立派にやるべき任務を果たしています。ほかに、いささか専門的な人物にはなりますが、欧州中央銀行（ECB）の理事を務めるイザベル・シュナーベルも非常に優秀です。現ECB総裁はクリスティーヌ・ラガルドで、ナンバーツーがシュナーベルです。ラガルドはジェローム・パウエルと同様に正しいことをしている人物なので、高く評価します。シュナーベルはつねに正しい意見をもって、立派に仕事をしています。ドイツ語でドイツ人に一貫した金融政策、経済政策を一〇〇%明確に説明しますが、それは非常に勇気がいることです。

我々は彼女のような人物をかなり前から必要としていました。ECBは、ドイツ人が影響力をもたず、頭のいいフランス人、イタリア人、スペイン人ばかりがいる機関であってはならないのです。欧州の将来にとって、シュナーベルのようにＥＣＢの政策を一貫して伝えられるドイツ人の声があることは非常に重要です。

――現在、注目している経済学者はいますか。

トゥーズ　まず、ＩＭＦ（国際通貨基金）のギータ・ゴピナート氏です。二〇一九年からＩＭＦのチーフエコノミストを務めているインド系アメリカ人で、彼女の役割は、ＩＭＦ経済顧問・調査局長です。彼女は国際金融のグローバリゼーションについて考えるための新しいマトリックスを公式化しようとする、興味深い研究をしています。

ポストケインズ派の学者のなかでは、ニューヨーク市立大学経済学部助教授のジョシュ・メイソン氏に注目しています。彼はインフレーション問題について非常に興味深いことを書いていますね。

私が二〇二一年九月七日に上梓した"Shutdown:How Covid Shook the World's Economy"の執筆で私に最も影響を与えたのは、イギリスのブリストルにある西イングランド大学の助教授ダニエラ・ガボールです。マクロファイナンスが専門の批評家で、グローバル開発について大変重要な提言を繰り広げています。このように世界には未来の世界を担う経済学者が多くいるのです。

Chapter 6

外国貿易反対派の抗議の歴史

欧州とは別の視点で世界史をみる
歴史家による現代への教訓

歴史というのは事実に基づくものだから、定説を覆すのはかなり難しいはずだ。しかし、西暦一〇〇〇年というかなり昔のことになると、基づくべき事実(証拠)の発掘がカギとなる。ヴァレリー・ハンセン氏は「新しい仮説を立てて証拠を探し、検証していくことこそが、我々歴史家の役割」だといっているが、歴史学はサイエンスそのものである。

グローバリゼーションを歴史の視点から考えたことがなかったので、ハンセン氏の説明はかなり新鮮に聞こえたが、パンデミックがその弱点を浮き彫りにしたことは間違いない。脱グローバル化かグローバル化という二者択一の視点からよく議論されるが、歴史からみる未来はそれほど単純なものではない。

Valerie Hansen

ヴァレリー・ハンセン

歴史家

1958年、アメリカ生まれ。ハーバード大学卒業。84〜86年には、京都大学で研究を行なう。。ペンシルヴェニア大学で博士号を取得。98年より、イェール大学歴史学教授。中国史、世界史を専門として教鞭を執る。著書（邦訳）に『図説　シルクロード』（原書房）、『西暦一〇〇〇年　グローバリゼーションの誕生』（文藝春秋）がある。

グローバリゼーションの起源を大航海時代とするのは遅すぎる

――著書『西暦一〇〇〇年 グローバリゼーションの誕生』（文藝春秋）はタイトルのとおり、グローバリゼーションの起源を一〇〇〇年ごろに見出しています。一般的には十五世紀半ばからの大航海時代に焦点を当てる向きが強いと思いますが、それより四百年以上も前の時代に着目したのはなぜでしょうか。また、そう確信するに至るまでの経緯についても教えてください。

ハンセン　私が大学の講義でよく言及する歴史家アンダース・ウィンロス（オスロ大学教授）のように、ヨーロッパの歴史家は以前より、西暦一〇〇〇年に大きな関心をもっていました。じつは「西暦一〇〇〇年」というタイトルの本は複数あります。ただし、ヨーロッパ以外の他の地域を研究している歴史家は、この一〇〇〇年という年にあまり注目していません。

私は五年ほどかけて本を読んだり、博物館に足を運んだりしていろいろな証拠を発見してきましたが、そうして二年ぐらい経ったときに、世界の複数の地域で初めて近隣国と接触していた時代に気づきました。

具体的に注目したのは、西暦一〇〇〇年ごろに起きた三つの出来事で、二つは中国と中央アジアの歴史に関係しており、もう一つはバイキング（スカンジナビア人）がカナダに上陸したことです。中国からインド、アラビア半島、アフリカに至るまで海上交易で繋がり、バイキングが北米に到達したことで、「世界一周交易路」が成立しました。

「西暦一〇〇〇年ごろに世界で何かが起きている。それは何だろう」という問いに向き合っているうちに、その時代が、異国のものが人びとの生活に影響を及ぼすグローバリゼーションの誕生年であると確信しました。

――「グローバリゼーション」という言葉自体は一九九〇年代ごろから一般に広まったと認識されているようですが、西暦一〇〇〇年とはだいぶ離れていますね。

ハンセン　グローバリゼーションは二相のプロセスから成ります。歴史家の多くは一九九〇年代より前の七〇〜八〇年代と考えますが、海外旅行が身近になり、外国からの製品を買い、世界中での移動がはるかに増えた時期です。

ただし、現在でもアメリカ人の半数程度がパスポートをもっていないように、皆が移動を望んでいるわけではない。いずれにしても、一九七〇〜九〇年代の現代は、グローバリゼーションにおける第二相です。

一方で歴史的な問いは、第二相以前の第一相はいつ始まったのかというものです。それが先ほどあなたが触れたように、ほとんどの歴史家は一五〇〇年や一四九二年というでしょう。ヨーロッパの文明がアフリカ大陸やアメリカ大陸、アジアに拡大した大航海時代です。航海中に反乱が起きて殺害されたためマゼラン自身が世界一周することは叶いませんでしたが、部下の乗組員が果たしました。そのころがグローバリゼーションの始まりだといわれています。

私が本書を執筆した目的は、グローバリゼーションの起源を大航海時代とするのは遅すぎると主張するためです。コロンブスがアメリカ大陸に上陸したとき、貿易品を積んだマヤのカヌーに出くわしました。そのころにはすでに、マヤ文明では貿易が行なわれていたのです。

グローバリゼーションはヨーロッパ人が始めたわけではありません。私は本書を通じて、一五〇〇年ごろにグローバリゼーションが始まったという欧州中心主義を覆そうと試みました。

――この本は人びとの歴史解釈、とくにヨーロッパの歴史に対する見方を一八〇度転換させるといえそうですが、あなたはいつごろから、欧州中心主義の歴史観に疑問を抱くようになったのですか。

ハンセン　三十年前、いや、それよりもっと前かもしれません。私は欧州ではなく中国の宋朝を専門にして、歴史の研究を重ねてきました。私が大学院生だった一九八〇年代、よく話題にのぼった人物の一人が日本人の歴史家、内藤虎次郎（内藤湖南）です。彼は、宋朝を近代の始まりとみていました。

また、オランダ人のアン・ジェリッツェンの作品で、景徳鎮を舞台にした"The City of Blue and White: Chinese Porcelain and the Early Modern World"（未邦訳）でも、近代の始まりを宋朝とみています。

私が次に書く本は、西暦一〇〇〇年ごろから始まる宋朝こそが近代史の起源であるという内容にするつもりです。ヨーロッパの価値観ではそれから五百年後に着目しますが、私の本が、欧州中心の世界観をどれほど変えられるのか、楽しみです。

コロンブスより先にアメリカ大陸に上陸したバイキング

――あなたは本書で「バイキングはユカタン半島（メキシコ湾とカリブ海を分けるように突き出た半島）のマヤ都市チチェン・イッツァにまで足跡を残しているかもしれない」と主張しています。これは、バイキングがアメリカ大陸北東部に到達した場所よりもさらに南に進んでいた可能性を示唆する新説だといえませんか。

ハンセン　そうですね。定説を覆すべく証拠を探そうとすることが歴史学を前進させる方法だと、私は信じています。

ところが、多くの識者が私の説を否定的にみているようです。なかには、まるで火星人が万里の長城を建設したと私が主張しているような、インチキ歴史観だと捉えるリアクションをした人もいます。その一方で、イェール大学のマヤ文明研究者で、現在はゲティ研究所に所属する美術史家のメアリ・ミラー氏と同大学名誉教授のマイケル・D・コー氏は興味深い説だと評価しています。

バイキングが一〇〇〇年ごろまでにアメリカ大陸北東部に至っていた証拠は、カナダ東部ニューファンドランド島最北端にあるランス・オ・メドーという考古遺跡からみつかりました。しかし私を批判する人は、バイキングがランス・オ・メドーに移住したのは一八四〇年代だと言い始めた。スペイン人あるいはコロンブスが最初にアメリカ大陸に上陸したというナラティブ（物語）を否定したくないのでしょう。

もしコロンブスより先にスカンジナビア人が辿(たど)り着いていたとなれば、カナダの一部はノルウェーのものだとでもいい出すんじゃないかと恐れているのかもしれませんが、それこそ馬鹿げています。しかも、ちょうど一〇〇〇年ごろノース＝バイキングが使用していた青銅製の留め針が一九六〇年代に同地から発見されたことからも、一〇〇〇年ごろのランス・オ・メドーの住人にバイキングがいたことは明らかです。

さらに私は、バイキングがユカタン半島のチチェン・イッツァにまで到達していてもおかしくないと考えました。実際、同地にある「戦士の神殿」の壁画に描かれている捕虜(ほりょ)は、ブロンドで目の色が明るく、肌の色は白い。バイキングの身体的特徴とかなり一致するのです。こじつけのようにみえるかもしれませんが、新しい仮説を立てて証拠を探し、検証していくことこそが、我々歴史家の役割です。

――またあなたは、アフリカで「沈黙交易（取引をする双方が姿をみせず言葉も用いることなく行なう交易）」によって金取引が行なわれていたという説に疑義を呈しています。沈黙交易は「神話」だったということでしょうか。

ハンセン　そのとおりです。アフリカでも西暦一〇〇〇年ごろには交易が盛んでしたが、沈黙交易が行なわれていたとはとても信じられません。沈黙交易に関する資料はたくさん目を通しましたが、定評のあるアフリカの歴史家も同じ見解を示しています。沈黙交易の流れは、まず売り手が交易品を浜辺に置いてその場を離れます。買い手は交易品の隣に金を置いて、その場を離れる。それをみた売り手が金の量を適切だと判断すれば受け取り、代わりに品物を残していくというものです。しかし、浜辺に金を翌朝まで放置する取引など、当時の治安を考えれば成立しないことは明白です。

沈黙交易について最初に記述したといわれているのは、古代ギリシアの歴史家ヘロドトスでした。私はヘロドトスをたいへん尊敬していますが、彼はほら話が好きな側面がありま す。彼が書いた本にはありえないようなことがたくさん出てきます。すなわち、彼の歴史記述が史実に基づいているかは別問題だということです。

私は歴史修正主義が好きで、過去に対して新しいアイデアを提案することは望ましい行為だと考えています。しかし沈黙交易については、それが実際には行なわれていなかったという主張を裏づけるほうが、一〇〇〇年ごろユカタン半島にバイキングがいたことを示すよりもずっと簡単で、はるかに有力な証拠がみつかるでしょう。

一帯一路構想で覇権を狙う中国の拡張主義

――あなたの専門である中国では西暦一〇〇〇年当時、世界中の産物が交易されており、グローバリゼーションの縮図でした。では、現在の中国における「一帯一路」（現代版シルクロード）構想を中心とした拡張主義をどうみていますか。

ハンセン　一帯一路は、世界史の視点からみると前代未聞の大構想です。世界の地理を眺めてみると、歴史的に交通路のボトルネックがいくつか存在しました。商品を移動させるのが困難な場所です。その一つがシンガポール近くのマラッカ海峡。そこを通過できなければ、ほかの代替法はほとんどありません。ジャワ海とインド洋とをつなぐスンダ海峡は海流が強く、通過するのは相当困難です。陸路でヒマラヤ山脈を越えようとしても、雪が多い場合は難しく、越えられるのは夏の短期間だけ。そのため三〇〇〜五〇〇年の初期のシルクロードでは、タイ南西部とミャンマー（ビルマ）南端とが接する国境付近のクラ地峡を越えて物資を運んでいました。

これらすべての難所を変えようとしているのが、一帯一路構想です。本書では、西暦一〇〇〇年当時の中国が中東との交易によってグローバライズされる話を書いていますが、当時はいまのように、交易のために新たな道や港を建設することはありませんでしたし、一帯一路が試みているスケールの足元にも及びません。いま中国が進めている拡張主義をみると、同国が明らかに覇権を視野に入れているとわかります。

――そんな中国と覇権を争うアメリカでは、グローバリゼーションに懐疑的だったドナルド・トランプ政権後、ジョー・バイデン氏が国の舵取りを担っています。アメリカにおける反グローバリゼーションの揺れ動きについてはどう考えられますか。

ハンセン　バイデンはトランプが行なった政策をすべて覆しているようにみえますが、じつはそうではありません。たとえばトランプは中国に対して非常に敵対的な立場をとりましたが、バイデンはその方針の多くを受け継いでいます。グローバリゼーションへの揺れ動きについては、一つの国のなかで賛成派と反対派の双方がいて、その割合が時代によって変化するということだと思います。大多数の人がグローバリゼーションに賛成する時期もあれば、そうではない時期もあるでしょう。

西暦一〇〇〇年当時の反グローバリゼーション暴動

――歴史を振り返っても、グローバリゼーションに対して賛否が巻き起こるのは自然なことであったと。

ハンセン　西暦一〇〇〇年当時、世界に普通選挙は存在していませんでしたので、実際の賛否のほどはわかりませんが、反グローバリゼーションの暴動は起きていました。カイロ（エジプト）やコンスタンティノープル（トルコ）、広州市（中国）においても、八〇〇年代に外国人貿易業者を攻撃する動きがありました。外国との取り引きで潤ってゆく裕福な貿易業者に対して、貧しい人が怒って攻撃していたのです。この出来事は、当時の世界ですでにグローバリゼーションが起きていた証ともいえます。

——あなたは基本的に、グローバリゼーションを支持していますか？

ハンセン　支持しています。ただ、グローバリゼーションにもマイナス面があり、場合によっては我々が代償を強いられることはわかっています。『西暦一〇〇〇年 グローバリゼーションの誕生』は、我々が新型コロナのパンデミックに襲われる前に出しました。この一年半ほどの期間を過ごした誰もが、グローバリゼーションのリスクを痛感したはずです。

——新型コロナは依然として猛威を振るっていますが、まさしくグローバリゼーションの弱点を露呈させたといえそうです。

ハンセン　今回のパンデミックを受けて、西暦一〇〇〇年の状況をあらためて考えるようになりました。当時、長距離の輸送は、ほぼすべて海路でしたから、国内市場が外国製品で溢れかえるような事態にはなりませんでした。考古学者によれば、中国の陶磁器はインド洋一帯、東アフリカからもみつかっていますが、陶磁器全体に占める割合はせいぜい五〜一〇%程度で、一〇〇%が中国製などということはなく、地元は地元で陶磁器をつくり続けていました。

つまり、グローバリゼーションが始まった当時、外国の製品がローカルの製品を圧倒することはありませんでした。それを阻む要因があったからです。工場自体もいまほど大規模ではありませんでしたし、船が難破することも多かった。つまり、外国の製品に頼ること自体が不可能だったのです。

もし当時のインド洋あたりで暮らす人びとに聞き取り調査を行なったら、おそらく全員が全員、地元でつくられたものよりも、質がよくて美しい中国製の陶磁器のほうを選んだことでしょう。ただ実際は、必要に見合うだけの量を手に入れることはできなかった、ただそれだけのことです。しかし現在は状況がガラッと変わった。ローカル生産がゼロで、すべてのものが輸入品の場合さえあります。

そこにパンデミックが起きて、サプライチェーン（供給網）が寸断された。最も端的な例がPPE（個人用防護具）でしょう。主なPPEとして挙げられるのはガウン、手袋、マスク、キャップ、エプロン、フェイスシールド、ゴーグルなどです。それらのほとんどは中国から輸入しています。アメリカでいえば、アスピリンやイブプロフェンといった市販薬については、九五〜九九％を中国からの輸入に頼っている。サプライチェーンについては現在と昔でまったく事情が異なりますが、パンデミックによってグローバリゼーションの弱点が浮き彫り（ぼ）になったことは間違いありません。

各国の政府が独自に講じる貧困層への救済措置には限界がある

――「グローバリゼーションは国内の分断を生む」との議論もあります。

ハンセン　グローバリゼーションの恩恵を受ける人が、恩恵を受けられない人の状況に対して想像が及んでいない面は否（いな）めないでしょう。今回のパンデミック以前ですが、先進国の人びとは自由に海外に旅行したり、留学したりできます。私も幸運にも、日本や台湾、中国で勉強する機会を得ることができました。こういったグローバリゼーションの恩恵を受けた人たちというのは、いま、国を率いる立場にあることが多い。

一方で、たとえばいまアメリカで売られている商品が中国の工場で製造されるようになったために誰かが解雇されたとすれば、それはグローバリゼーションのマイナスの側面です。そしてグローバリゼーションの恩恵を受けている人たちは、この恩恵にあずかれない人たちのことを、これまでほとんど顧みることもなく、手を打つこともしてこなかった。この構造は、ブレグジット（イギリスのEU離脱）にも関係しています。グローバリゼーションから恩恵を享受している人としていない人とのあいだで、一定の差が生まれているのが実情です。

――ノーベル経済学賞受賞者のジョセフ・スティグリッツ氏は、グローバリゼーションは貧困国をさらに貧しくさせたと指摘していました。

ハンセン　その可能性はあると思います。いま我々が生きている世界では、政府が市場に介入せずに放任すると、結果はあまりフェアなものになりません。それは西暦一〇〇〇年でも同じでした。宋朝の中国は急速な経済成長を遂げた半面、多くの貧困者も抱えていた。ところが政府は、貧しい人びとに対して救済策を講じませんでした。実際に飢餓が起きた際には、救済の手立てが講じられたものの、毎月一定の支給がある社会保障制度は整備されていなかったのです。

ただし、そもそも「政府は貧しい人の利益を守らなければならないのか」という問いには議論の余地があるでしょう。グローバリゼーションの世界で難しいのは、各国の政府が独自に講じる救済措置の効果に限界があることです。それほどまでにグローバリゼーションの影響力が強いともいえます。

二〇〇一年六月にイギリスで開催されたG7で、世界各国の法人税引き下げ競争に歯止めをかけるために、G7各国は法人税一五％以上をめざすことで一致しました。これは本当に前代未聞の合意です。裏を返せば、国連はグローバリゼーションについて何の対策もしていない。世界の国際機関は、グローバリゼーションによって損害を受けた人たちを救済する策を速やかに導入するべきです。

——人類は新型コロナ以前にもさまざまな感染症と闘ってきましたが、そうした過去の経験から学び、現在の状況に応用できることはあるでしょうか。

ハンセン 最近知ったことですので、本では触れていないのですが、quarantine（病原体に感染した可能性のある人の隔離。self-quarantine は「自主隔離」）という言葉が生まれたのは、一三四〇年代に黒死病（ペスト）が流行したときだったようです。当時は、薬もいまのものとはだいぶ違っていましたし、病気と闘うツールもそろっていなかったため、パンデミックの抑え込みには至りませんでした。死者数も相当な数にのぼり、結果として自然免疫がついた形で収束しましたが、現代に望まれるシナリオではないですね。

人類はこれまでとは違う生き方をしなければならない

——グローバリゼーションの世界では「未知との遭遇（そうぐう）」の機会が少なくありません。ただ、SNSの影響もあってか、キャンセルカルチャー（個人や組織、思想などのある側面だけを取り上げて問題視し、存在すべてを否定するかのように非難すること）のように、未知のものに対する不寛容な態度が散見されます。この問題について、あなたはどう考えますか。

ハンセン　それは西暦一〇〇〇年のときにもみられた現象で、いまに始まったことではありません。寛容な人もいれば、不寛容な人もいるのは、時代を問わず同じです。十三世紀初頭に書かれた"Vinland Sagas"に登場するバイキングは、初めて遭遇したアメリカ先住民を殺しました。対話を交わすことなく、寝込みを襲ったのです。もちろん形態は違えども、現代のキャンセルカルチャーにも似た要素があるように思えてなりません。

――歴史の教訓を踏まえたうえで、世界の指導者や国際社会は、現代の流動的な国際秩序のなかでグローバリゼーションにどう向き合うべきでしょうか。

ハンセン　我々はいま、グローバリゼーションの軌道修正をすべき時にきています。今回のパンデミック然り、イギリスのブレグジット然り、二〇一六年のトランプの勝利然りで、政府の関心がすべて国のエリートに向けられ、エリートたちがグローバリゼーションの恩恵を受けられるようにとばかり気を遣い、不遇な人たちに同等の配慮をしてこなかったつけが、こうして回ってきているのです。

グローバリゼーションとは、人間の有り様の一部だと思います。人は基本的に、新しいものを欲しがります。外国からやって来た人と出会って目新しいものをみると、つい欲しくなりますね。それはいまの人に限った話ではなく、一〇〇〇年ごろの人びとも同じですし、これが人間というものの本質である以上、この先も変わることはないでしょう。

しかし、さまざまな経験を経たいまでは、新たな視点も加わっています。もし欲しいという気持ちに任せて輸入に偏ることになれば、国内の産業が育たない。そうならないためにも、そして今後、新型コロナのような事態に見舞われたときに、必要なものが入手できない事態に陥らないためにも、国内の生産者を保護し、国内で調達できる態勢を整えておくべきです。つまり、自国産よりもほかの国のもののほうが優れているという場合でも、そうした外国製品に押されて自国産業が廃（すた）れることがないよう、規制するなどして政府として保護すべきです。

人類が簡単に脱グローバル化することはできないでしょう。とはいえ、過去にはなかったような問題、気候変動や地球環境へのインパクトを考えると、人類がこれまでとは異なる生き方をしなければならないのは明らかです。いままで一年に何十回と飛行機を利用していた人は、そこまで飛行機を使う必要がないことに気づいたはずです。

――これから我々に求められることは何だと考えていますか。

ハンセン　いま考えるべきは、脱グローバル化、グローバル化、どちらを取るかといった単純な二者択一ではなく、グローバル化のメリット、デメリットがそれぞれ何かを見極めたうえで、グローバル化で不利益を被る（こうむ）人たちのための対策を講じることです。

その際に必要なのが、国同士の情報交換です。武器をちらつかせて牽制するのではなく、虚心坦懐（きょしんたんかい）に話し合うことです。非常に残念なのは、以前は盛んだった米中間のコミュニケーションの機会がかなり減っていることです。

中国の習近平体制において、アメリカでトランプ政権が誕生する前には、活発に行なわれていた米中の疫学者同士の交流も、いまではほとんどなくなりました。これは非常にもったいないことです。自由な情報交換を通じてこそ得られるものがあるからです。

一方、これまでアメリカ政府は、貿易に関しては消費者の意向を優先させ、国内の産業にある程度の影響が出ても、消費者が安く手に入れられればそれでいいという立場でした。しかし、多少安いものが手に入りにくくなったとしても、働き口が増えるほうがいいのではないでしょうか。どの分野でグローバリゼーションを進め、どの分野で脱グローバル化するべきなのか、各々が真剣に考えなければなりません。グローバリゼーションを進めるか止めるかという単純な議論ではなく、ケースバイケースで考えるべきでしょう。

Chapter 7

健常者優位主義を乗り越えられるか

テクノロジーが優生思想的考えを助長する負の構造

自分が直接経験するとか、身近にいるとか、そういう立場にならないと、障害は他人事であると考えがちである。ジョージ・エストライク氏も、ダウン症の娘をもったことで作家としての人生が激変し、障害について深く考えるようになったという。優生思想についても、普段は考えることがないかもしれないが、相模原で起きた殺人事件を決して自分には関係ないことであると思ってはいけない。

出生前診断や遺伝子編集など、テクノロジーの発達が程度の差こそあれ、誰もがもつ内なる優生思想的な感情を助長する恐れがあることから、目を背(そむ)けてはならない。これまで障害について深く考えたことがない人も、これを機にぜひ考えてほしい。

George Estreich

ジョージ・エストライク

詩人

Photo: Ellie Estreich

コーネル大学で芸術系修士号取得後、オレゴン州立大学講師。詩人。著書（邦訳）に『あなたが消された未来——テクノロジーと優生思想の売り込みについて』（みすず書房）がある。

出生前診断の倫理的課題

――あなたは、テクノロジーと優生思想の関係について書いた著書『あなたが消された未来』（みすず書房）の前に、ダウン症と診断された娘ローラについての回想録 "The Shape of the Eye：A Memoir"（未邦訳）を二〇一三年に刊行しています。娘さんについて執筆することへの迷いはありませんでしたか。

エストライク　つねに迷っていましたが、どの内容を本に入れて何を省くかは、自分の良心を信じるしかありませんでした。ローラが生まれてからかなり早い段階で内容を考え始めましたが、前著は執筆に九年ほど要しています。書きながら、ローラに対して、愛情深くフェアであるにはどう描くべきかについて、とことん考えました。そういった意味で、つねに迷いながら書いていたといえるでしょう。どこまで書き、何を省くかを決めるにあたっては、自分の判断力を頼りにするしかありませんでした。

私はオレゴン州立大学の大学院でクリエイティブライティング（創作：小説やノンフィク

ションを書く方法）を教えていますが、ノンフィクションを書くときに浮上する倫理的な問題について、学生とよく話をします。学生に対して「このテーマを執筆すべきではない」とはいいません。人間について書いている以上、倫理的な問題はつきものです。学生にはその問題をできるだけ追求するように促（うなが）しています。

――『あなたが消された未来』でも、ローラについて書かれていますね。

エストライク　この本は、前著とは違い、ローラからつねに許可をもらいながら公表していきました。実際、この本に限らず、私は日ごろからローラに確認をとるようにしています。たとえばローラの写真を撮ってフェイスブックに投稿するとかいったとき、それがどんなに他愛のない内容でも、毎回必ずローラに許可をとっています。今回も、本のなかにどのエピソードを盛り込んでいいのか、彼女にその都度聞きました。

こうした進め方は、この本の重要なポイントになっています。障害をもつ人、とくに知的障害を抱える人についてはつねに話題になりますが、本人が相談されることは滅多にないでしょう。本作の出来にはローラも非常に満足してくれたようです。

──優生学は過去のものといったイメージが一般的ですが、あなたが著書で述べているように、バイオテクノロジーの発達は、じつは優生学的な考えを強化しているように思います。出生前診断一つをとってみても、先天性障害や染色体異常のある胎児を見つけ出して取り除くことを目的にしているのは明らかです。そのなかでもダウン症に対しては、日本よりもアメリカのほうがはるかに寛容でしょう。羊水検査と違って、NIPT（新型出生前診断）では染色体異常があると必ずわかるわけではないにもかかわらず、日本ではNIPTで染色体異常の可能性が高いと告げられた人の八〇％は羊水検査や絨毛（じゅうもう）採取などの確定診断を待たずに、人工妊娠中絶を選択します。さらに確定診断で染色体異常が判明すれば、九〇％の人は中絶を選んでいます。ダウン症の子どもをもつことに、日本の社会がいかに否定的かがわかります。

エストライク 聞くに堪（た）えない、高い数字ですね。心が痛みます。私が調べたのはアメリカの現状なので、（日本のことは）よくわかりませんが、そういう傾向があるのは、とても残念です。

ただ、本書にも書いたとおり、私は出生前診断そのものには反対していません。検査する対象が、テイ・サックス病からダウン症候群にいたるまで、その重症度において異なりますし、人それぞれ抱えている事情も異なるからです。私の関心は、人は自分が置かれた状況をどのように考えるのか、障害や違いを抱えた子どもをもつことを恐れるのはなぜか、恐怖の元になっているのは何か、などを問うことです。

この分野は、答えよりも問いのほうがはるかに多いですね。そんななかでただ一つ、自信をもっていえることは、娘にしても障害をもった人びとにしても、みなと同じように価値ある存在だということです。そのことを積極的に訴えていきたい。日本に限らず、たとえばアイスランドでも、生まれてくる子どもがダウン症の確率が高いと判明した場合、中絶する人が多い。こうした事実を前にし、さまざまな疑問が湧きあがりました。なぜ、こういう誤った考えが広がり、その原因はどこにあるのか。ダウン症の人に対する誤解がこれほどまでに広がっている実態を知って以降、私は優生学の歴史に関心を抱きました。この誤解の起源を探りたかったのです。

分離教育自体が問題をはらんでいる

――ダウン症にはいくつかの身体的な特徴があります。一方で、日本で最近よく話題にのぼる発達障害は、「目にみえない障害」です。外からみたら、ダウン症の人のように目にみえる特徴はありませんし、出生前診断や出生の時点で発見することはほぼ不可能です。生後三、四年、場合によっては何十年も経ってから、何かおかしいと気づくことがほとんどです。

ですから一口に障害といっても、中身はずっと複雑で、さまざまな様相を帯びています。障害の可能性のある人が家族にいる人、あるいは身近にそういう家族がいる人、捉え方はさまざまでしょう。あなたは娘がダウン症であるとわかった直後の気持ちと、現在の気持ちではどの程度の違いがありますか。

エストライク　まったく違いますね。ローラが生まれたときは、じつはダウン症であるとは診断されませんでした。ダウン症は出生前に検知されていない場合、大半は出生時にわかります。そこにいくつかの身体的特徴があるからです。白人の欧米人にとって最も目立つのが、目の特徴です。またダウン症児は筋肉がかなり弱いのですが、ローラの筋肉はダウン症児としては珍しく張りがありました。

周りの人は、「(彼女の父親の)母親が日本人だから目に特徴がある」と思っていたようですが、彼らは人種的遺伝の要素をみているのか、余分な染色体がもたらす障害の特徴をみているのかわかっていませんでした。このときに私のなかで、障害と民族性が巨大な結び目でぎゅっと結ばれたのです。

ローラが生まれてから、遺伝子検査の結果が出るまでは二週間ほど待たなければなりませんでした。もちろん正常な身体であることを期待しましたが、実際はかなり重篤(じゅうとく)で、心臓に欠陥がみつかった。生まれてからの一年は、本当に大変でしたね。

――娘さんの成長に伴い、ダウン症への見方も変化していったわけですね。

エストライク　ダウン症に対してというよりも、人間へのさまざまな視点が変わった気がします。ローラの誕生が契機となって、人全般や家族に対する見方は、否が応にも変わりました。こうして、現在も進行中の変化が起こり始めたのです。

彼女はいま二十歳ですが、二十歳のダウン症の娘がいることと、ダウン症の幼児がいることとはまったく違います。ですから、山登りをして山頂に着き、周囲を見渡してそれでおしまい、ということではありません。どんな子育てにもいえるように、子どもの年齢にしたがって親の見方はつねに変化し、そこに終わりはないのです。

ただ、いま話したことは一般論としての変化ともいえます。私の場合、ローラの誕生は作家としての人生も激変させましたが、それは私からみた変化であって、ローラ自身の視点が入っていないため、十分な答えとはいえません。一言で表すのは難しいですが、どの側面においても、ローラが誕生したときといまの気持ちが異なるのはたしかですね。

――私は、ダウン症児をもつ親や出生前診断について、産婦人科医に何度か取材したことがあります。ダウン症児をもつ日本人の母親で出生前診断や検査に反対する人は少なくない一方で、医者は意見が真っ二つに分かれます。妊婦には中絶するか産むかの選択権があるからと検査を薦(すす)める医者もいれば、ダウン症は障害に含めるべきではなく、ダウン症の子どもが安心して育っていけるような環境の整備に力点を置くべきだと主張する医者もいる。後者の医者は、ダウン症児も、学校で、できるかぎり他の子どもと一緒に教育を受けさせるべきだと訴えています。

エストライク　私も、後者の医者の考えと同じです。分離教育というもの自体が問題をはらんでいると思っています。ダウン症児と他の子どもを分離して教育することが良いことは滅多にありません。ローラには、インクルーシブ教育（人間の多様性を尊重し、障害のある者とない者が共に学ぶ仕組み）を重視してきました。彼女のために別の教育の場所を用意することはない。私は、皆が一緒になって一つの社会を形成すべきという立場です。

遺伝子編集が抱える危うさ

――遺伝子編集テクノロジーのクリスパー・キャス9（以下、クリスパー）を開発し、二〇二〇年末にノーベル化学賞を受賞したジェニファー・ダウドナ氏にインタビューしたとき、（『人類が進化する未来』ＰＨＰ新書に所収）、彼女は、ヒト受精卵の遺伝子編集は近い将来に確実に行なわれるとしたうえで、そうした流れに逆らうのではなく、それを責任あるやり方で利用するよう訴えるべきだと述べています。
ダウドナ氏はさらに、クリスパーには優れた点が多く、病気や環境、気候変動といった、人類が抱える問題を解決できる、多大な可能性を秘めた技術だと述べています。一方で、こうした遺伝子編集テクノロジーやNIPTは、一般人が「ノーマル」（正常）と思う範囲を狭め、障害に対する寛容度を下げることに繋るのではないかと危惧されています。ひとたび植えつけられたイメージを、人びとの頭からすっかり取り除くことは不可能です。こうしたテクノロジーの功罪をどう考えますか。

エストライク　まず、あなたがいった、テクノロジーが不寛容さをつくり出す危険性については同感です。とはいえ、ダウドナ氏が語るように、ヒト受精卵の遺伝子編集が「近い将来に確実に起きる」という不可避性については賛同しません。何かが不可避であるとひとたび認めれば、それを受け入れるほかなくなってしまいます。その次は「いかにして実行するべきか」という問題に移ります。しかし、我々は方法論に進む前に、そもそも実行するべきかどうかについて、社会全体で広く、真剣に対話しなければなりません。
私は『あなたが消された未来』のなかで、ダウドナ氏がサミュエル・スターンバーグ氏と書いた“A Crack in Creation”（邦訳『CRISPR（クリスパー） 究極の遺伝子編集技術の発見』文藝春秋）について触れました。彼女は間違いなく頭脳明晰（めいせき）な科学者であり、敬意を表します。しかし、いくつかの重篤（じゅうとく）な病気を比較的軽度の障害やまったく障害ではないものと同等に扱っている点に関しては、抵抗があります。たとえば、クリスパーが使える可能性のあるもののリストに小人症も含まれていますが、遺伝に関係するものは何でもリストに入っています。

こういう例をみると、我々は、このような病気で最も影響を受けている人の声をしっかりと聞かなければならないと、あらためて思います。しかも、彼ら彼女らは決して声をあげていないわけではなく、たとえ声をあげても無視され、対話に入れてもらうことすらできないでいるのです。

――病気を抱える当事者の意思が軽視されているわけですね。

エストライク　たとえばNIPTは選択に繋がる検査ですが、NIPTと生殖細胞系列の遺伝子操作とのあいだには大きな違いがあると思います。後者はその影響が代々永久に続きますが、体細胞（多細胞生物を構成する細胞のうち生殖細胞以外の細胞）の遺伝子操作が影響するのは本人だけであり、両者の差は大きい。

私の妻はラボでクリスパーを利用していますが、私はそれを一つのツールとして使うこと自体に反対しているわけではありません。問いたいことは、我々はこのテクノロジーを遺伝する方法で使うのかどうかです。私は、使うべきではないと考えています。

クリスパーの利用を推進しようとする力とは何か、さらにいえば、企業がテクノロジーの選択にあたって、どの程度自分たちの利益を優先させているか、という点も気になるところです。ダウドナ氏を含めてこの分野のリーダーのほとんどは、自分の会社を起業していきます。人間が行なう選択と経済的利益が絡んでくると、私はどうしても疑念を抱いてしまうのです。

障害がある状態という「一線」はない

——では、障害がない状態と障害がある状態のあいだに「譲(ゆず)れない一線」はあると思いますか？

エストライク　Oh my gosh!（参ったな！）。それは素晴らしい質問ですね。両者は明確には区別ができないと思います。

「線」という概念を使って表すなら、こちら側は障害がない状態で、向こう側は障害がある状態という「一線」はないでしょう。というのも、障害とは純粋に肉体的な要素だけではないからです。障害を肉体的な観点から定義するならば、ノーマルな人は手足が何本あるのに対して、アブノーマルな人はその数が足りないから障害だとみなされます。

しかし、障害というのはそれほど単純な話ではありません。障害はその背景にある社会との関係で判断されるものだからです。ある社会では障害だと捉えられることが、他の社会ではそうではない場合もあります。また、その程度や複雑さ、病歴などによっても判断は異なります。

障害者の権利を求めるアクティビストたちがかねてより、絶妙な言葉を残しています。それは、我々のほとんどが、それなりに長生きをすれば少なからず障害者になるということです。我々は一生を送るなかで障害者になったり、障害がなくなったりする時があるのです。

――「障害＝悲劇」と思い込んでいる人は、バイオテクノロジーやＮＩＰＴのような検査を利用して、できるだけ障害を排除するべきだと考えがちです。我々が障害についてもっている、こうした根深い先入観の原因はどこにあって、こうした誤解を乗り越えるためにはどうすればよいとお考えですか。

エストライク　健常者優位主義は、非常に凝り固まった考え方です。魔法の杖(つえ)を振ってその考えが変わればいいのですが、事はそう簡単ではありません。

私ができるのは、書くことです。ローラについて執筆した目的の一つは、障害を抱える私の娘をありのままに描写することでした。本の中でも触れましたが、死に物狂いの努力で障害を乗り越えようとする人について書かれたもの、あるいは障害に苦しむ人への哀(あわ)れみの物語は、世の中にたくさんあります。テレビでも、障害者への同情を誘い、人びとの感動を呼ぶことを目的にした二十四時間番組などがよく放送されています。

しかし、人びとの意識を変えることができるのは、飾らない日常の姿を描いたものだと思います。だからこそ、ありのままを自伝的に描写しました。ここがほかの作品との違いです。それでもやっぱり人びとの考えを変えるのは難しい。筆の力をもってしても打ち勝てないものがあるのです。

誰しもが「障害の地」に渡る可能性がある

――障害のなかでも、とりわけ知的障害者への差別は根深いものがあるのではないでしょうか。

エストライク　知力の点で障害がある人は、多くの人にとって不安を与える存在とみなされているのでしょう。膨大な情報があふれ、テクノロジーに精通した民主主義に生きている、あるいは辛うじて民主主義にしがみついている現在の世の中ではなおさらです。

我々が示す侮辱的言動の多くは、じつは医学の歴史と関係しています。「moron（軽愚者：かつての精神薄弱の分類で、精神年齢およそ八～十二歳の精神薄弱者を指す。現在は軽度精神遅滞に相当）」「idiot（白痴者：最も重度の精神薄弱者を指す）」「imbecile（低能者・痴愚者：中程度の精神遅滞者を指す）」「retarded（発達の遅い・知恵の遅れた）」などの侮辱語は、すべて医学用語です。人びとは知力を失うことへの恐怖が大きいため、そうした障害を明確に区別し、自分たちはそうではないことを示す必要があるのです。

人が自分の考えを変えるのは、当事者に実際に会い、相手を理解し始めたときだとつくづく思います。直接的な経験がないと、人はなかなか変わりませんね。

——私はアメリカのマンハッタンに住んでいたとき、乗車したタクシーが事故を起こして救急車で病院に運ばれ、首から下が十時間ほど不随になった経験があります。そのときに初めて「このまま一生、四肢麻痺（ししまひ）になるのか」という不安に陥り、障害について見つめ直す契機になりました。

エストライク　それは凄（すご）い出来事ですね。まさに先ほどいった、身をもってはじめて知る直接的な経験です。いま自分は障害（者）にまったく関係がないと思っていても、誰しもが「障害の地」に渡る可能性があります。往々にしていわれることですが、障害は誰にとっても他人事（ひとごと）ではないのです。

対話の中心として障害者自身も参加すべき

――日本では二〇一六年、神奈川県の知的障害者福祉施設で、元施設職員の植松聖（うえまつさとし）が入所者一九人を殺害する事件が起きました。亡くなったのは十九歳から七十歳までの一九人でしたが、他にも二六人が重軽傷を負い、戦後最悪の殺傷事件として、日本社会を震撼（しんかん）させました。植松は「意思疎通のできない重度の障害者は不幸かつ社会に不要な存在であるため、安楽死させれば世界平和に繫がる」という思想をもっていたようです。この事件をどう捉えますか。

エストライク　たしか相模原市という場所で起こった事件ですよね？

――そのとおりです。

エストライク　当時の報道を覚えていますが、稀（まれ）にみる悲惨（ひさん）な行為です。

――優生学の視点からはどう考えますか。

エストライク　間違いなく酷い事件ですが、最終的には、知的障害者が攻撃を受けやすいという側面を浮き彫りにしています。この悲劇を一人の精神障害者、あるいは悪人の事件として片付けてはいけません。犯人がもつ優生思想的な感情は、一般の人びとも多かれ少なかれ抱いているものです。障害者は役に立たないから生まれてこないほうがいい、と思っている人は普通にいます。犯人の過激な暴力行為にはぞっとしますが、知的障害者の価値を軽視し、その生命を否定するような感情は、実際のところ珍しくはない。

障害者に関する事件で難しいのは、報道の仕方です。たまに障害児の子どもを親が殺害したという事件が報道されますが、こうした報道で驚くのは、障害児の養育の大変さが強調され、「親は障害児の世話の大変さに負けてしまった」というトーンで、まるで安楽死殺人と同じような報じられ方になることです。しかし、人を殺めることに違いはなく、殺人は殺人です。相模原のような極端な殺人事件は、多くの人が抱く「内なる感情」の扉を開くように映ります。

――先ほど、テクノロジーというもの自体、両刃の剣で慎重に扱わなければならないという話が出ましたが、テクノロジーの負の側面を蔑ろにしたまま発展させていけば、我々はますます傲慢になり、優生思想的な考えを助長しかねません。そうした間違った方向に進まないためには、政策の果たす役割は大きいでしょうか。

エストライク　もちろん政策決定者も必要ですが、加えて、もっと幅広い対話が必要だと思います。私が『あなたが消された未来』を書いた理由の一つは、急速に発達するテクノロジーが、ほとんど話し合いもないまま、どれだけ正常化されてきたかを指摘することでした。科学による選択や改変がより広範囲で行なわれ始めると、心身の障害がその正当化の理由にされる可能性があります。

ところが巷の話し合いの多くは、科学者や生命倫理学者といった狭い範囲でしか行なわれていない。中国の遺伝子学者・賀建奎氏が、ゲノム編集を施した赤ん坊を誕生させたように、テクノロジーの倫理的な側面について話し合うべき事例は少なからず出てきていて、もう未来の話ではなくなっているのです。

いま、何が問題になっているのか理解するためには、幅広い対話が必要ですが、何よりも、対話の中心として障害者自身も参加するべきです。我々が政策決定のために知識を得たければ、テクノロジーと障害（者）との共生を専門分野にしている人たちとも話し合わなければなりません。義足をつけて車椅子で生活している人たちが指摘しているように、こうした障害者はすでにテクノロジーとの共生を実践しているわけで、障害者自身が専門家だといえます。彼ら彼女らこそが、対話の中心にいなければならないのです。

Chapter 8

地球の大都市が化石になる日

「人新世」に生きる人類の避けられない未来

我々は普段の生活でどれほど先のことを考えても、せいぜい数年後のことまでであろう。「将来の夢」という場合は、十数年先のことまでは想像するだろうが、それでも十万年後の地球となると、思いを馳せる人は皆無といえる。私自身も、デイビッド・ファリアー氏にインタビューするまではそうであった。

「化石」というと過去の話だが、「いま」は未来からみれば「過去」である。たとえば生物の絶滅に関して「人間がやることで影響の出ないものなどなく、すべては繋がっている」というファリアー氏の指摘は重い。「ディープタイム」という地質学的スケールから、我々の「いま」の行動を顧みる重要性が氏の言葉からわかるようになるだろう。

David Farrier

デイビッド・ファリアー

エディンバラ大学教授

イギリス・スコットランドのエディンバラ大学の英文学と環境学の教授。『FOOTPRINTS 未来から見た私たちの痕跡』（東洋経済新報社）で英国王立文学協会のジャイルズ・セントオービン賞を受賞。デジタル・マガジンの「イーオン」や、『アトランティック』誌に寄稿している。

世代を超えて影響を及ぼす地球へのダメージ

――『FOOTPRINTS 未来から見た私たちの痕跡』（東洋経済新報社）では、道路、都市、南極の氷床、微生物、サンゴ礁、プラスチックごみ、核廃棄物などの痕跡から世界や人類の記録を辿り、未来を分析しようと試みています。この分析手法は普通、過去について用いられるもので、未来を考察する手法としては新しく、一般的な方法とは一線を画しています。どのようにしてフットプリント（痕跡）をみつけることができるのでしょうか。

ファリアー　何千世代にもわたたって、あらゆるもののなかに人類の痕跡が残り続けるというのは衝撃的な事実ではないでしょうか。長く残存するからには、非常に特殊なものでなければならないと思うかもしれませんが、あなたの身の回りにあるもの、たとえば家のなかにある窓ガラスや鉄のサッシ、コンクリートのような普通のものでいいのです。

こうした素材は耐久性に優れているうえ、日々大量に消費されており、たとえば、戦後に生産されたアルミニウムはアメリカ合衆国全土を覆えるだけの分量に相当します。なかでもプラスチックは長きにわたって残るため、未来の化石の記録のなかで、我々がいかに生きたのかを教えてくれる、最も判読可能で丈夫な痕跡となるでしょう。

別の身近なものの例としては、携帯電話のような、多くの異なる物質からつくられた物体が挙げられます。いまこの時点で世界に何台の携帯電話が出回っているかはわかりませんが、仮にこうしたものの一％以下しか痕跡を残さないとしても、多くの物質がかけ合わされてできたものだけに、我々の「生」について、将来とても興味深いストーリーを提供してくれるでしょう。

未来の考古学者や古生物学者が、コンゴから採掘したレアメタルや、ペルシャ湾から採った化石燃料からなるプラスチックが混ざり合った携帯電話という小「化石」を発見するようなことがあれば、我々がこうした変わったものを生み出す力だけでなく、世界各地からさまざまな物を集めてくる力も備えていたことを知ることとなり、我々が生きた二十一世紀の地球文明について、驚くほど緻密な分析が可能となります。

――著書で紹介されていた「ディープタイム」という概念は非常に興味深いですね。

ファリアー　「ディープタイム」は、地質学的なスケールのなかで、山や陸地が形成、分解されたり、崩落するのにかかる時間を意味します。一億年、十億年単位で区切られ、人間の想像力では考えられないスケールです。「ディープタイム」という概念は、我々に世界や歴史の俯瞰を可能にします。

しかし現在、我々はいわゆる「人新世」と呼ばれる地質時代を生きているといわれています。人類が地球や生態系に影響を与える「人類の時代」です。この「人新生」の大きな問題は、人間が温暖化を促進したことで、カーボン・サイクル（炭素循環：生物圏、岩石圏、水圏、大気圏のあいだで炭素を交換する生化学的循環）や窒素サイクルなどのエコシステムや気候を変えてしまっていることです。人類が発展させてきた社会や文明が、一種の地質学上の力（force）になっているのです。

つまり我々が、過去のどの世代も、どの種（species）も行なったことがない方法で「ディープタイム」に介入したため、これまでの地層学に異なる文脈を与えてしまうようになりました。

「ディープタイム」は、一般的な人たちにとって身近な概念ではありません、しかし何千・何億年という「ディープタイム」のスパンで思考を馳せるのは大きな意義があります。いま我々が地球に対して与えているダメージは、世代を超えて影響を及ぼすためです。たとえばカーボン（炭素）は、一万年後の地球の気候に変化をもたらしているでしょう。一万年後に生まれてくる人は、我々が大気に排出したカーボンのレガシー（遺産）と共生しなければなりません。

数万年後は道路は残っていない

――さまざまな痕跡のなかでも、著書の第一章で「道路」を取り上げた理由を教えてください。

ファリアー　一つは、自分の身近な場所からストーリーを展開したかったためです。私はエディンバラに住んでいますが、自宅のすぐそばにあるフォース湾に新しい橋が開通しました。ちょうど第一章を書き始めたときでしたので、これは道路の寿命について考察を深める、絶好の機会だと思いました。近所の現象から書き始めることは、自分が住む場所の「未来の化石」をみることに繋がるからです。

また現在、地球を覆う道路は五〇〇〇万キロメートルにものぼります。したがって道路について考えるのは、自宅から遠く離れた地球全体を考えることにも繋がります。道路は「ディープタイム」のスケールで雨風にさらされて風化し、浸食されていく。数万年後には、我々が目にしている道路はもう残っていないでしょう。それでも、世界全体の道路のうち一%ぐらいはトンネルのなかで保存されたり、土砂崩れで埋もれたりして残ると考えられます。

そうした小さな断片が、かつて人びとが地球規模で繋がっていたことを、我々がやっとの思いで陸同士を繋ぎ、海の大きな隔たりを克服した歴史を、後世に伝えてくれるでしょう。また我々がどのように移動し、どのような物質を運んだか。そして何より、人類がいかに化石燃料に夢中になっていたかを教えてくれるのです。

――第二章では「都市の運命」について記しています。今後、東京やニューヨーク、上海、あるいはベルリンなどの都市はどのような運命を辿るか、推測できますか。

ファリアー 東京やニューヨークや上海のような世界の大都市は、合成物質の密度が最も高い場所です。こうしたごく一部のエリア、とくにこれらの都市の高層ビルの基礎には、想像を絶する量の物質が投入されています。

東京、上海、ニューオーリンズ、ムンバイは、海面上昇の脅威に直面していますが、同時に沈下も進んでいます。上海はぬかるんだ柔らかい土地の上につくられており、この一世紀で二メートル以上も沈下しています。

そして水面が上がり、地面が沈下する、という二重の現象は、まさに化石化の最適な条件を生み出しています。ある都市地層学の専門家は「上海の化石化のプロセスは不可避」と語りました。おそらく一万年ほどでこれらの都市を水が覆い、地表にあるものを侵食し、化学的に物質を変化させるでしょう。ただし、建物の基礎部分や地下のショッピングモールや駐車場はすぐには変化が始まらず、その後非常に長いスパンで変化してゆきます。一億年もたてば、上海のような場所にはコンクリートやガラス、プラスチック、鉄などの合成物をふくみ、日用品が層の境目を成す一メートルもの厚さの地層ができるでしょう。


――都市のなかにも、そのまま残る都市と地下に埋没（まいぼつ）する都市が出てくると思われますが、両者を分ける特徴は何だと思いますか？

ファリアー　たとえば私が暮らすエディンバラは、地質学的にみると土地が隆起しているところに位置します。この隆起は氷河期時代の氷の層の重みが取れたことによるリバウンドが起きているためです。そのため、エディンバラは海面上昇の影響からはある程度守られますが、その一方で雨風にさらされて風化し、浸食されていくことになるでしょう。つまり、化石化する可能性はかなり低い。その点、地盤の沈下が進んでいる上海などは化石化の可能性がずっと高くなります。

イタリアのヴェネツィアも沈下がひどく、たびたび洪水に見舞われていますが、化石化という点ではやはり上海でしょう。上海タワーなど世界有数の高層ビルもあり、その基礎部分は地下一〇〇メートル近くにまで達します。しかもその地下空間はショッピングモールや駐車場など、さまざまな用途に使われている。もとから地中深くに埋まっているので、泥と水が流れ込めば化石化のプロセスが始まるのです。

ニューヨークを守るには周りに防水壁が必要となる

——主要都市が地下に埋没し、「都市の地層」ができたら、人類はその土地の上にまた新たな都市を形成するのでしょうか。もしくは、新しい都市を求めて移動し続ける移動民族になる可能性もあるのでしょうか。

ファリアー 世界最古の都市はいずれも多層構造になっています。都市の上に都市ができる構造で、都市が発展する際によくみられます。ロンドンもその一例ですが、とくに上海や東京やニューヨークのような比較的新しくできた沿岸都市は、都市沈没という最悪のシナリオに備え、温暖化を抑え、海面上昇に対処しなければいけません。

極端にいえば、ニューヨークをいまある場所から動かさないのであれば、周りに防水壁をつくって街を守らなければならず、ほかにも標高が高い西側の地域に市民が移住するという最悪のシナリオも考えられます。

我々が未来になんらかの化石を残すことになるのはたしかですが、何を残すかは、我々の手に委ねられています。ニューヨークが化石にならないよう、人類は何とか耐えうるのか。open question（答えのない問い）といえます。

――『未来から見た私たちの痕跡』のなかで、イタロ・カルヴィーノの『見えない都市』の一部を引用し、マルコ・ポーロがクビライ・カアンとの最後の謁見（えっけん）の際に述べた言葉が紹介されていますね。「あらゆる形がそれぞれ自分の都市を見出すまでは、新しい都市が生まれつづけることだろう。そして、あらゆる案が出つくし、形が崩れるとき、都市の終末がはじまる」。この言葉にはどういう意味がこめられているのでしょう。

ファリアー　大学で英文学を教えていることもあって、もともと考察のなかで物語を取り上げることは多いです。この言葉も、「ディープタイム」に残す痕跡についてうまく伝えたものが何かないかと探していてみつけました。

カルヴィーノの『見えない都市』には、高い支柱の上に建てられた都市や、クモの糸でつくられた都市、家々が、ちょうど楽譜上に並んだ音符のように通りに建ち並ぶ都市など、空想上の都市がじつにたくさん登場し、都市の可能性をあらためて感じさせます。都市、とくに現代都市は、人類がつくり出したとてつもない産物です。百年前には想像もつかなかったような都市の姿がいま目の前にある。そして、この先も都市が築かれていくことに希望を感じさせてくれるのが、この言葉なのです。私たちの都市は簡単に消えたりはしないが、すべては私たち次第だということを伝えているのです。

――他国と同様に、日本でもコンビニエンスストアやスーパーのレジ袋が有料化されました。表面的には良い政策であるようにみえますが、ビニール袋はほかのごみに比べて環境にそれほど大きな影響を与えないともいわれており、政治家の自己満足ではないか、との批判が集まりました。たとえばプラスチックについて、どのような対応の仕方を進めるのがよいでしょうか。

ファリアー　イギリスでもレジ袋は有料化されています。些細（ささい）なことながら、良い取り組みでしょう。ほんの数年前まではプラスチック問題、とくに海洋のプラスチックごみによる汚染は大きな問題ではありませんでした。しかし人びとの認識が急速に変わり、行動を変えるきっかけが生まれました。これは非常に重要なことで、我々に大きな希望を与えます。同じような認識の変化を、エアコンをはじめとした家電製品や、石油燃料を使う乗り物、食料源についても考えてみるべきです。

ただし批判にもあるように、プラスチックごみよりも、大気に放出しているカーボンのほうがはるかに大問題です。化石燃料を燃やすサイクルをどうやって断つか、より真剣に検討しなければなりません。プラスチック問題に気をつけてさえいれば、あとはなにも気にしなくて大丈夫と安心せず、さらなる行動へ繋げることが必要です。

ムンクの『叫び』を放射性核廃棄物の保管所の目印に？

――核は、人類がいま直面している深刻な難問の一つです。核実験や核廃棄物によって環境汚染が生じる可能性があります。今後、国際的な合意によって核兵器がなくなることがあったとしても、核による環境汚染の問題は残るでしょう。人類は、核とどのように向き合うべきでしょうか。

ファリアー　ご指摘のように、これは人類、とりわけ技術者や政治家たちが何十年も前から格闘している問題です。一般的な合意では、「放射性核廃棄物は埋蔵(まいぞう)しなければならない」とされています。しかし一万年後、地中に埋まっている核廃棄物を私たちの子孫が発見し、危険な目にあわないとも限らない。

そうした危険を回避するための方策として、かつて「放射性核廃棄物を地球と宇宙を結ぶ軌道エレベーターを通じて宇宙空間（太陽系外と太陽の表面）に打ち込んではどうか」という提案がされました。しかし、打ち上げ時に失敗し、大気中で核廃棄物が爆発した場合を考えると一考の価値もありません。

現実的な論点は、地中に埋める前提で、放射性核廃棄物の埋蔵地にどういった「印」をつけるべきかです。

アメリカでは、ニューメキシコ州の大深部に高レベル放射性核廃棄物の保管所を建設中です。エドヴァルド・ムンクの絵画『叫び』を元にデザインされた、嫌悪感が強調された巨大な顔入りのグラナイト製のモノリスが目印のデザイン案に挙がっています。なぜ絵なのかといえば、いま話されている言語が一万年後にも使われている保証がないため、「立ち入り禁止」の意味を伝える、言語を超えたメッセージが必要だからです。

一方、フィンランドのオルキルオト島では、これとは逆の発想で、地下五〇〇メートルの基盤岩（最下位層）に核廃棄物の深地層処分場を建設しています。この処分場の名前であるオンカロは、フィンランド語で「動物が棲む穴」という意味です。この穴に手をつっ込めば、動物にかみつかれる恐れがあることを示唆しています。処分方法は、印はつけず埋めっぱなしにするだけ。いかなるメッセージも、時を経れば伝わらなくなるからと最初からあてにせず、ただ自然に委ねるのです。はたしてどの処分方法がいいのか、まだ答えは出ていません。

加速する生物多様性の減少度

――二〇一九年には、「生物多様性及び生態系サービスに関する政府間科学―政策プラットフォーム」が「一〇〇万種に上る生物が絶滅の危機に瀕する可能性がある」と警告しました。このまま人類がいまと同じような活動を続ければ、生物の大量絶滅が起こる可能性があるのでしょうか。

ファリアー　生物多様性は危機に瀕しており、まさに現状が大量絶滅の初期段階にあたるかどうかが議論されているところです。

これまで地球上の大量絶滅は五回起きており、地質学上の「短期間」（一万年、十万年のスパン）でみると生物の七五％、いくつかのケースでは九五％までが絶滅しています。

そして現在の生物多様性の減少度は、過去のレベルを何倍も超えて加速しています。環境変化に耐えられなくなった生物が消えていけば、我々の子孫がみるのはニワトリなど、食料としているごく一部の生物の痕跡だけで、多様性がなく均一化した化石、中身の乏しい薄っぺらな化石の記録だけでしょう。

人類は生物の管理人ではありますが、王様ではありません。いかに生物絶滅を阻止する方向に舵を切れるか。未来の化石記録には、我々が絶滅の危機をどこまで放置したかがしっかりと残るのです。

人類が地球に対して与えている変化は、生息するあらゆる種に影響します。我々の活動は干伐、砂漠化、洪水の条件をつくり出し、土壌汚染を広げ、海の酸化はサンゴ礁の形成をますます難しくしている。五十~百年以内に、世界中の海からサンゴ礁がほぼ消えてしまう可能性があります。海洋生物の二五%はサンゴ礁に依存して生息していますから、甚大な波及効果(連鎖反応)が起きるでしょう。地球の運命は、生物にとってプラスになり、絶滅を止める政策を人間がいかに増やせるかにかかっています。

──あなたは著書で「世界の生物多様性が危機的状況にあるときに、科学者は(その生物の）ＤＮＡの保管について必死に思案している」と記しています。国や研究者たちのアジェンダ（行動計画）はどうあるべきだと思いますか？

ファリアー　すべての生物が生きられる未来を築くことに我々の関心を向けなければならないときに、人間は自分たちの物語を確実に残すために、生命の保管に目を向けていたのです。この行ないからは痛切な皮肉を感じませんか。

他方で昨今の研究では、人類が他の種にいかに依存しているかについて、ますます理解が進んでいます。ほかの種をたんに人間のリソース（資源）としてみることはできません。「人間であることはどういうことなのか」を考える際、異なる生物の存在なしには語れない。我々と他の生物との環境の境界はきわめて曖昧で、浸透性があります。我々の健康も、人間の体内で生きている微生物から環境を共有している生物に至るまで、ほかの生物との関係に依存している、といえるのです。

こうした事実を裏づける研究が、科学者を中心に数多く行なわれていますが、一般の人びともこうしたことをもっと理解し、生物多様性の問題を我がこととして受けとめることが大切です。

人類の環境の支配がウイルスに進化の道を開いた

――著書のなかで、研究者がシベリアの永久凍土の試料から三万二千年前のウイルスを発見した話が出てきます。地層学と疫学の関係をどのようにみますか。

ファリアー　それはいい質問ですね。新型コロナがどこから来たかについてはいろいろな説が出回っていますが、明確なのは動物原性（動物由来）感染症だということです。人類が、手つかずのままの自然環境を侵害した結果、ウイルスが一つの種から別の種に移る橋が生じたということです。人間による環境の支配が、ウイルスに進化の道を開いてしまったのです。

人類とほかの種が遭遇したことで、進化の方向性が変わってしまった。いまみられる進化のほとんどは、人為的な変更が加えられた結果だと、さまざまな研究のなかでいわれています。私たち人類が、ほかの種の分布域やその行動、場合によってはその外形に変更を加え、生態系を変えてしまったせいなのです。これは我々が「ディープタイム」に介入していることの例証にもなるでしょう。

本来であれば、「ディープタイム」のスパンで、長い時間をかけて起こる変化が、人の一生のうちに起こってもおかしくない。そう思うと不安を覚えずにはいられませんが、一方で、新型コロナを前にした我々の素早い対応には希望も感じます。生活は一変し、他国への移動も止まった。一夜にして人びとが生活を変えられるなど、誰も想像すらしていなかった。たしかに前の生活スタイルへ戻ろうとする動きも見受けられますが、我々がすぐに変化を起こせるという点には、希望をもっていいと思います。

――では、今回のパンデミックは、地層学の観点からみて、未来にどんな痕跡を残すと思いますか？

ファリアー　痕跡を残すのはたしかですが、かすかに残す程度でしょう。パンデミックのあいだ、大量の使い捨てプラスチックが消費され、さらに病院では、短期間でプラスチックやビニール、ゴムの医療用品、とりわけ使い捨ての手袋やマスクが大量に必要とされました。そういったものが焼却され、廃棄される埋め立て地には、さまざまな情報を克明に保存できる条件がそろっています。有害物質が漏れ出ないよう、すべてを閉じ込める設計になっているため、酸化も防ぐことができ、化石層の生成において絶好の場所といえます。
たとえば、ある日いきなり大量に使用されるようになり、すぐ姿を消した使い捨て手袋は、環境の変化を語るものとして地層に埋蔵され、人類の痕跡となるのでしょう。

インターネットは大量のエネルギーを消耗する

――インターネットによる通信やデータの格納は、巨大なエネルギーに裏打ちされており、地球温暖化の一つの要因にもなっていますね。実際、環境にどれほど大きな影響を与えているのでしょうか。

ファリアー　この本を書いたときには、インターネットやデジタル化がグローバルのカーボン排出に占めるエネルギーの割合は全体の二~三%ほどといわれていました。しかし、いまでは日常生活のなかでインターネットが使われる機会は増加する一方です。
インターネットは目に見えない空気のようなものです。世界中至るところで利用でき、そのデータはクラウド化しているといいながら、実際には実体をもった巨大なデーターセンターのなかで保管されている。これらのセンターは世界各地にあって、多量のエネルギーを消耗するため大量の熱を発します。室温を下げた場所に置かないと、機械が壊れてしまう。これもまた、人間の活動は必ずどこかで軋轢を生むことの例証となるでしょう。

人間がやることで影響の出ないものなどなく、すべては繋がっている。この深いところでの繋がりをまず理解することが、変化への第一歩です。グーグルがデータセンターをカーボンニュートラルにすると約束したように、あらゆるＩＴ企業がエコロジカルな取り組みを進めなければなりません。

――あらゆる地層の痕跡から、人類が失ったものを知ることができ、同時にそれらが地球や生物・生態系にどのような影響をもたらしたかを学ぶこともできる、とあなたは説いています。現代を生きる我々は、未来にどのような化石を残す可能性がある、とお考えでしょうか。

ファリアー　二つの答えを伝えましょう。今日に至るまで我々が排出したカーボンのうち、最後の七％ほどは、十万年後の地球にも残っているでしょう。今後排出するものは別にしてもです。大事なのは、我々がいまやっていることの影響が、どれだけ長く残るか忘れてはならないということです。このインタビューや私の本を読んだ人たちはぜひ、自分の身の回りにあるものをあらためてみてください。電気のスイッチを入れる、その行為が化石燃料を消費し、カーボンのレガシーを生み、その影響は十万年後まで残るかもしれない。

一方で、ガラス、プラスチック、コンクリートなど、いま目にしているすべてのものがあなたやあなたの国の痕跡を残すのだと想像してみてください。

我々が「時代のレガシーを残す」という事実を思い起こさせてくれるものに囲まれているのは、幸運だと思います。未来の化石になる可能性がある物質に囲まれているからこそ、それをきっかけに、未来にどのような化石を残したいかを考えることができるし、考えなくてはという気になれるのです。あなたが行なうことの帰結として、未来を生きる子孫の生活が変わってしまう。その視点から考察を続けることは、とても価値があるのです。

エピローグ――パンデミックがもたらした壮大な実験

ここに登場する八人の識者との対話は、すべてパンデミックに突入してからＺｏｏｍで行なわれたものである。もし対面であったとしたら、ブライアン・レヴィン氏とはアメリカ・カリフォルニア州サンバーナーディーノ（ロサンゼルス空港から約一一五キロメートル東方に位置する都市）、カート・アンダーセン氏とはブルックリン、ジョージ・フリードマン氏とはテキサス州オースティン、イワン・クラステフ氏とはブルガリアの首都ソフィア、アダム・トゥーズ氏とはマンハッタンにあるコロンビア大学で、取材を行なっていただろう。

さらに、ヴァレリー・ハンセン氏とはコネティカット州ニューヘイブン、ジョージ・エストライク氏とは、オレゴン州コーバリス（ポートランドから約一三四キロメートル南方に位置し、ワイナリーが一二三個もある）、デイビッド・ファリアー氏とはイギリス・スコットランドの首都エディンバラまで飛行機で飛んで、対面でインタビューをしていただろう。

つまりアメリカでは西海岸（オレゴン州、カリフォルニア州）、南部のテキサス州、東海岸のマンハッタン、ブルックリンとニューヘイブンに行き、アメリカからヨーロッパに飛び、ブルガリアとスコットランドまで足を運んでいたことになる。

アポイントメントを入れ、実際に現地に赴く（おもむ）には、飛行機とレンタカーを利用することになるが、そうとうの時間を要するのはいうまでもない。そう考えると、Ｚｏｏｍというオンラインコミュニケーション・ツールが「ニューノーマル」になってもおかしくない。

しかしながら、これはアポイントメントがとれる場合である。事件などの取材で相手の居どころが正確にわからないときや相手が取材拒否している場合には、まず現地まで飛び、居場所を見つけ出すことから始めなければならない。Ｚｏｏｍではそれは不可能である。Ｚｏｏｍ取材は、相手が対話を承諾した場合のみ、可能なコミュニケーション手段なのである。

さて、この八人との対話をあらためて読んでみると、プロローグでも述べたが、それまでの自分の考えがいかにparochial（視野が狭い、偏狭）であったかを思い知らされる。とくにデイビッド・ファリアー氏の地球の未来に関する話は、私が考えたこともない視点だったので、新鮮だった。イワン・クラステフ氏がいう「模倣の罠」も然り（しか）。これからの世界情勢、地政学的思考をここから学ぶことができる。

一方で、自分の考えがさらに強化された場合もある。多くの日本人、とりわけ主要メディアはアメリカやドナルド・トランプ前大統領をかなり誤解していると私は思っている。カート・アンダーセン氏やジョージ・フリードマン氏の話を聞くと、なおさらその思いは強くなった。彼らの話に耳を傾けると、日本人がアメリカに対して抱きがちな誤解や先入観が少しは正しい方向に向くのではないだろうか。

ポストケインズ派経済学の流れをくむ「現代貨幣理論」（ＭＭＴ）は、一時期よくメディアに登場し、議論の対象になったが、あくまでも理論の域を出ることはなかった。経済学者のポール・クルーグマン氏は、ＭＭＴは別に新しいアイデアではなく、「自国通貨を発行できる政府は財政赤字を拡大しても、債務不履行になることはない」とかなり昔から主張していた。

それが実際に検証されたのが、このパンデミックであった。経済政策をこれほどの規模で実施し、短期間で結果がわかる実験はそうできるものではない。経済学からみた歴史を専門とするアダム・トゥーズ氏は、このパンデミックを「試運転」と称したが、まさにそのとおりである。

最後に、快くインタビューに応じてくれたこの八人の炯眼(けいがん)の士に心からの感謝を捧げたいと思う。対面でインタビューしていたら、さらにユーモアあふれたものになっていただろうが、それでもかなり濃い内容になったと思う。

そして、Ｖｏｉｃｅ編集部の担当編集者の中西史也氏、岩谷菜都美氏、書籍化にあたっては第一事業制作局の永田貴之氏、ＰＨＰ新書課の宮脇崇広氏に尽力をいただいた。この場を借りてお礼を申し上げたい。

二〇二一年十一月　日光にて

大野和基

［編者略歴］
大野和基［おおの・かずもと］

1955年、兵庫県生まれ。大阪府立北野高校、東京外国語大学英米学科卒業。79～97年渡米。コーネル大学で化学、ニューヨーク医科大学で基礎医学を学ぶ。その後、現地でジャーナリストとしての活動を開始、国際情勢の裏側、医療問題から経済まで幅広い分野の取材・執筆を行なう。97年に帰国後も取材のため、頻繁に渡航。アメリカの最新事情に精通している。訳・編著に『未来を読む』『未完の資本主義』『自由の奪還』『人類が進化する未来』『つながり過ぎた世界の先に』『5000日後の世界』（以上、PHP新書）、著書に『英語の品格』（ロッシェル・カップ氏との共著、インターナショナル新書）など多数。

初出一覧

ブライアン・レヴィン／『Voice』2021年8月号
カート・アンダーセン／『Voice』2021年6月号
ジョージ・フリードマン／『Voice』2021年3月号
イワン・クラステフ／『Voice』2021年10月号
アダム・トゥーズ／『Voice』2021年12月号
ヴァレリー・ハンセン／『Voice』2021年11月号
ジョージ・エストライク／『Voice』2021年10月号
デイビッド・ファリアー／『Voice』2021年8月号

近代の終わり

PHP新書 1290

秩序なき世界の現実

二〇二一年十二月二十八日　第一版第一刷

著者――ブライアン・レヴィン／カート・アンダーセン／ジョージ・フリードマン／イワン・クラステフ／アダム・トゥーズ／ヴァレリー・ハンセン／ジョージ・エストライク／デイビッド・ファリアー

インタビュー・編――大野和基

発行者――永田貴之

発行所――株式会社ＰＨＰ研究所

東京本部――〒135-8137　江東区豊洲5-6-52

第一制作部　☎03-3520-9615（編集）

普及部　☎03-3520-9630（販売）

京都本部――〒601-8411　京都市南区西九条北ノ内町11

組版――有限会社エヴリ・シンク

装幀者――芦澤泰偉＋児崎雅淑

印刷所
製本所――図書印刷株式会社

ISBN978-4-569-85115-0

PHP INTERFACE
https://www.php.co.jp/

ＰＨＰ新書刊行にあたって

「繁栄を通じて平和と幸福を」（PEACE and HAPPINESS through PROSPERITY）の願いのもと、ＰＨＰ研究所が創設されて今年で五十周年を迎えます。その歩みは、日本人が先の戦争を乗り越え、並々ならぬ努力を続けて、今日の繁栄を築き上げてきた軌跡に重なります。

しかし、平和で豊かな生活を手にした現在、多くの日本人は、自分が何のために生きているのか、どのように生きていきたいのかを、見失いつつあるように思われます。そして、その間にも、日本国内や世界のみならず地球規模での大きな変化が日々生起し、解決すべき問題となって私たちのもとに押し寄せてきます。

このような時代に人生の確かな価値を見出し、生きる喜びに満ちあふれた社会を実現するために、いま何が求められているのでしょうか。それは、先達が培ってきた知恵を紡ぎ直すこと、その上で自分たち一人一人がおかれた現実と進むべき未来について丹念に考えていくこと以外にはありません。

その営みは、単なる知識に終わらない深い思索へ、そしてよく生きるための哲学への旅でもあります。弊所が創設五十周年を迎えましたのを機に、ＰＨＰ新書を創刊し、この新たな旅を読者と共に歩んでいきたいと思っています。多くの読者の共感と支援を心よりお願いいたします。

一九九六年十月

ＰＨＰ研究所